D1273258

Notre distributeur :

Messageries de presse Benjamin
101, rue Henry-Bessemer,
Bois-des-Filion (Québec)
J6Z 4S9

Tél. : 450 621-8167

Le blogue de Namasté

> Survivre

LES ÉDITIONS LA SEMAINE
2050, rue de Bleury, bureau 500
Montréal (Québec) H3A 2J5

Directrice des éditions: Annie Tonneau
Directrice artistique: Lyne Préfontaine
Coordonnateur aux éditions: Jean-François Gosselin
Infographiste: Marylène Gingras
Scanneriste: Éric Lépine

Réviseures-correctrices: Rachel Fontaine, Marie-Hélène Cardinal, Marie Théorêt
Photos de la couverture: Shutterstock
Illustrations intérieures: Shutterstock

Les propos contenus dans ce livre ne reflètent pas forcément l'opinion de la maison d'édition.

L'éditeur bénéficie du soutien de la Société de développement des entreprises culturelles du Québec pour son programme d'édition.

REMERCIEMENTS
Gouvernement du Québec – Programme de crédit d'impôt pour l'édition de livres – Gestion SODEC

Nous reconnaissons l'aide financière du gouvernement du Canada par l'entremise du Fonds du livre du Canada pour nos activités d'édition.

© Charron Éditeur inc.
Dépôt légal: quatrième trimestre 2012
Bibliothèque et Archives nationales du Québec
Bibliothèque et Archives Canada
ISBN (version imprimée): 978-2-89703-083-4
ISBN (version électronique): 978-2-89703-084-1

Maxime Roussy

> Survivre

ÉDITIONS LASEMAINE

Sois maudit !

Namxox

> Ça y est, c'est à mon tour

Je ne veux pas me vanter, mais ça va vraiment mal dans ma vie.

Je pense que j'ai un cancer du sein.

Depuis hier soir, mes seins sont lourds. (Ce qui, avec la grosseur de ma poitrine, peut être considéré comme un exploit méritant d'être mentionné dans des émissions de télévision comme *Véritable, mais vrai* ou *Humains monstrueux*.)

Mes seins sont lourds parce que je les sens, pas parce qu'il me faudrait une brouette pour les déplacer.

J'ai visionné une vidéo sur *Youtoube* expliquant comment se tâter les seins pour détecter des masses suspectes.

J'ai passé 15 minutes devant le miroir de la salle de bains à me palper comme une grand-mère le fait avec les pains à l'épicerie pour comparer leur fraîcheur.

J'ai donc palpé mes seins, puis un peu plus haut, parce que rien ne dit qu'un cancer, ça n'aime pas jouer à cache-cache.

Résultat : oui, j'ai détecté une bosse. Une grosse. Mon nez. 😊

Je me dis que si Mom, qui a toujours pris soin de sa santé comme Gollum de sa précieuse bague, peut avoir un cancer généralisé, ça peut arriver à tout le monde.

Quoi? Qu'entends-je? Les filles de 13 ans n'ont pas de cancer du sein?

Premièrement, j'ai 14 ans demain. Ce qui fait que mon compteur de vie indique 13,997 ans, je crois qu'on peut arrondir à 14.

Deuxièmement, oui, ça se peut, un cancer du sein aussi jeune. J'ai lu qu'une ado aux États-Unis, vivant à Deadhorse (Chevalmort!), en Alaska, en a eu un. Un expert dit que «c'est possible, mais improbable». C'est possible quand même!

Dans ma tête, c'est comme une course de formule 1: ça roule vite, il y a des *crashs* spectaculaires et, pire encore, il y a des poupounes à la plantureuse poitrine qui affichent un sourire ambigu pour annoncer une marque de bière.

C'est surréaliste de penser qu'à l'intérieur de Mom, des crabes se multiplient et vont la faire mourir incessamment sans que personne y puisse rien.

(Dans une brochure que Mom m'a remise, j'ai lu que certains cancers ressemblent à un crabe avec leurs longues pattes. Hippocrate, un grand médecin de l'Antiquité, a d'ailleurs utilisé ce nom pour décrire les tumeurs. Je ne mangerai plus jamais de crabe des neiges de ma vie.)

Aucun des plus grands experts du cancer du pays ne peut sauver Mom.

Un peu comme si elle était sur un radeau de fortune qui coule lentement dans une mer infestée de requins et que personne ne pourrait intervenir.

Moi, je suis forcée de la regarder couler, sachant qu'elle va se faire dévorer.

C'est une torture.

Quand Zac est mort, c'était un accident : les pneus du camion dans lequel il se trouvait étaient usés, les conditions de la route étaient mauvaises et le conducteur était inexpérimenté.

La dernière fois que j'ai vu Zac, je ne savais pas qu'il allait mourir.

C'est injuste et ça aurait pu être évité.

Mais c'est arrivé et je dois continuer à vivre avec ça.

C'est la fatalité. En latin, c'est le « *fatum* », comme dit Grand-Papi.

Je sais que ma mère va mourir. Que ses jours sont comptés.

On ignore combien il lui en reste : 50 ? 100 ? 200 ?

Présentement, dans son corps, des cellules anormales sont en train de se diviser à une vitesse exponentielle, étouffant ses organes vitaux, qui cesseront de fonctionner très bientôt.

ET JE NE PEUX RIEN FAIRE.

C'est dur à accepter.

J'ai encore besoin d'elle.

Mon voyage de vie est loin d'être terminé avec elle.

Elle ne tiendra jamais mon roman publié dans ses mains.

Elle ne me verra jamais dans ma robe de bal de fin de secondaire.

Elle n'assistera pas à ma collation des grades à l'université.

Elle ne connaîtra jamais l'homme de ma vie qui sera aussi le père de mes enfants.

Elle ne fera pas partie des invités à mon mariage pour constater à quel point je suis devenue une femme accomplie et heureuse, beaucoup grâce à elle.

C'est une des pires choses qui pouvaient m'arriver.

Je vais aller petit-déjeuner.

Je vais manger mes émotions en engloutissant une demi-douzaine d'œufs, un paquet de bacon, quatre rôties au beurre, des saucisses au porc et un verre de jus d'orange, question d'ajouter du sucre naturel au gras et au sel.

Miam, miam.

J'ai tellement *pas* faim.

J'irais jusque-là

(C'est supposé être des plumes sur une flaque de pétrole)

Namxox

> ## Des envies de meurtre

(pas de panique, gendarmes du Web, c'est une manière de parler)

Je viens de petit-déjeuner avec Mom.

Même si je ne suis parvenue qu'à avaler deux bouchées de gruau de peine et de misère, c'était agréable.

Pendant que Mom feuilletait un magazine de potins, elle passait des commentaires désobligeants mais « pertinents » – c'est Mom, quand même. 😌

Sur une robe d'une vedette féminine de cinéma : « Ton grand-père avait des rideaux du même motif dans son camp de chasse il y a 30 ans. »

Sur la déclaration à peine *nawak* d'une chanteuse pop (« Je n'ai jamais suivi de régime ») : « Toi, tu n'as peut-être jamais suivi de régime, mais plein de régimes t'ont déjà pourchassée et ils ont visiblement réussi à mettre la main sur toi. »

PAUSE

Mom m'a dit que lorsqu'une vedette perd beaucoup de poids en peu de temps, ce n'est pas parce qu'elle a suivi un régime miracle, c'est parce qu'elle a CESSÉ DE S'ALIMENTER.

Arrêter de manger est la pire des manières pour perdre du poids. Le blogue de Namasté (c'est moiii)

12

recommande de faire du sport et de manger sainement (quand je parle de nourriture saine, une poutine à la cassonade n'en fait pas partie, pas plus que la boisson gazeuse avec du bacon et de la crème glacée dedans).

Plus on s'aime, mieux on se sent dans sa peau et c'est plus facile d'atteindre son poids santé, dixit Mom.

«Merci, Mom, pour ce judicieux conseil. Nous te retrouverons à la fin de l'émission pour la chronique Jardinage et bombes fumigènes.»

FIN DE LA PAUSE

Toujours dans le magazine, sur le visage de plastique d'une actrice de 50 ans : «Elle, si elle visite un musée de cire, c'est sûr qu'on va la garder.»

Mais la meilleure citation est celle d'une chanteuse qui affirme, au sujet des paroles des chansons qu'elle écrit : «Elles n'ont aucun sens, mais la musique est bonne.» Tout est dit, rien à ajouter.

Faudrait que je commence à profiter de chaque moment passé avec ma mère au lieu de me morfondre sur son sort et le mien.

Pour l'instant, Mom est relativement en forme.

Elle ne pourrait pas escalader l'Everest sur les mains en tapant du pied sur l'air de *À la claire fontaine* (pfff, facile!), mais elle parvient encore à faire les tâches ménagères trop dangereuses pour nous, ses enfants (vider le lave-vaisselle – attention aux fourchettes, ça pique! –, passer l'aspirateur – attention, Fred, ça peut avaler les petits bouts de chair qui dépassent – et épousseter, on pourrait souffrir d'une crise d'asthme et/ou d'urticaire et/ou de mort par suffocation).

Merci, Mom, de protéger avec tant de soin ta précieuse progéniture!

Cela dit, trop penser à ses cancers fait *freaker*. «Cancers» au pluriel parce qu'à l'heure qu'il est, les médecins en ont détecté trois: sein, poumon et foie.

Dès que j'ai une sensation dans mon corps, je suis sûre que c'est cette saloperie de maladie qui vient de s'infiltrer en moi.

Si je me concentre, je peux même sentir les crabes miniatures marcher sous ma peau.

Mettons que j'ai un peu mal à la tête; je demande immédiatement à *Gougueule* de me répertorier toutes les maladies qui comportent ce symptôme.

Inévitablement, je tombe sur «cancer du cerveau».

Ou «bébitte ayant pondu des œufs dans votre sang, œufs qui éclosent dans votre cerveau et qui, pour survivre, dévorent votre matière grise».

Mouais... Je pense qu'entre les deux, je choisirais le cancer.

Au moins, il n'est pas ovipare (merci à mon cours de biologie de m'avoir appris ce mot qui va m'avoir servi une seule fois dans mon existence).

C'est dégueu, pondre des œufs. 😖

C'est une question de perspective, j'imagine.

Possible qu'une mouche adolescente en train d'écrire sur son blogue se dit qu'un bébé qui sort du ventre de sa mère, tout plein de sang et de liquide amniotique, c'est dégoûtant!

Genre qu'elle se dit que les vivipares, c'est dégueu!

(Je remercie de nouveau mon cours de bio pour m'avoir permis d'utiliser à bon escient le mot «vivipare», pour la première et dernière fois de mon existence.)

Si Mom peut mourir à 46 ans, tout se peut, même des mouches adolescentes qui réfléchissent sur le mode de reproduction des humains et qui s'en scandalisent.

(...)

Je hais les gens qui se plaignent pour rien.

Et Dieu sait qu'il y en a à l'école!

On fait partie du 1 % de la population de la planète qui vit dans des conditions aussi favorables et il s'en trouve pour pleurnicher parce que le savon pour faire des bulles dans leur bain n'en fait pas assez (histoire vraie, je l'ai lue hier soir sur un des murs de lamentations Fesse-de-bouc de mes connaissances à l'école, mais afin de préserver le peu de dignité qu'il reste à cette fille superficielle qui n'a jamais vraiment souffert de sa vie, son identité ne sera pas révélée, appelons-la plutôt Valentine).

Cette fille, je la déteste.

Jamais au grand jamais je n'aurais pensé que je pourrais haïr quelqu'un avec autant de passion.

Est-ce que je pourrais l'assassiner?

Non, quand même pas.

Le meurtre n'est pas une solution constructive où les deux parties peuvent trouver leur compte dans une perspective de résolution de conflit gagnant-gagnant (!).

Mais la recouvrir de goudron et de plumes, ça, je le pourrais.

Et pas avec des plumes blanches. Non. Des plumes de quetzal, un perroquet du Mexique qui a le panache le plus coloré de tous les oiseaux.

Dommage qu'elles ne scintillent pas et ne brillent pas dans le noir.

Alors, on trouve ça où, du goudron? Et si je me mets à siffler comme un serin, est-ce que ça peut attirer un quetzal? Va falloir que je siffle fort en titi pour qu'il m'entende du Mexique...

On dit que rien n'est impossible, non?

(...)

N'empêche, rien ne pourrait égaler ou dépasser l'humiliation que Valentine me fait subir.

Je me sens comme le tapis sur lequel elle s'essuie les pieds.

Au départ, elle m'a amadouée. Je la trouvais chouette.

Elle a même osé me demander des conseils pour draguer, conseils qu'elle a sûrement mis en pratique avec Mathieu.

Elle a détecté mes failles et les a exploitées.

Je lui ai fait confiance et elle m'a trahie.

Elle a bousillé le premier numéro de *L'Écho des élèves desperados* en l'inondant de chatons *cutes* venus des enfers.

Je lui ai dévoilé des détails de ma vie amoureuse super perso et elle les a utilisés comme une arme contre moi.

Je lui ai dit que Mathieu volait et que ça me dérangeait.

Le jour du *Boxing Day*, main dans la main, comme on gambade dans un champ de blé, ils se sont rendus au centre commercial et se sont amusés à sortir des articles des magasins sans les payer.

Lentement, elle a démontré à Mathieu qu'elle était une fille parfaite pour lui. Pas mal plus que moi qui – que je suis étrange! – trouve ça immoral de voler.

Puis je suis partie en voyage et elle a eu le champ libre pour accomplir son travail de destruction et de reconstruction du monde.

Et *schnoute* de *schnoute*, je ne me suis rendu compte de RIEN! ☹

À moins que je n'aie rien voulu voir...

(...)

Certes, Valentine n'a bloqué l'accès à sa page Fesse-de-bouc.

Mais folichonne comme je suis, j'ai emprunté (très) temporairement l'identité de Kim.

Sans sa permission, mais bon, je ne reste que quelques instants pour reluquer la page de Valentine et je me déconnecte tout de suite.

Pas de ma faute, j'avais dit à Kim de changer son mot de passe. Il est trop facile à deviner.

D'accord, j'avoue que je suis malhonnête. 😵
« !@m0ur&p41x! », c'est un super bon mot de passe.

Elle n'avait qu'à ne pas l'écrire dans son agenda!

(...)

Je n'irai pas à l'école ce matin, je vais chez l'orthodontiste pour faire ajuster mes broches.

Je me suis réveillée à 4 h 30. M'est avis qu'à l'heure du dîner, on va me voir faire du somnambulisme dans les corridors de l'école.

Et comme il m'arrive de parler en dormant et que ce que je dis est à peine cohérent, on va évacuer l'école parce que j'aurai répondu à un professeur qui m'aura demandé pourquoi je marche les yeux fermés et les bras parallèles au sol, en pyjama avec un bonnet pointu sur la tête : « La Voie lactée est un jeu de billes et je vais boire votre sang. »

(Constatons que je vouvoie mes profs même quand je suis dans un état second, je suis *tellement* bien élevée.)

(...)

Quand je me suis fait assez mal en pensant au sort réservé à Mom, je songe à Mathieu et la douleur se fait encore plus intense, comme si c'était possible.

Kim ne me l'a pas montrée, mais elle a une photo de Mathieu et de Valentine qui s'embrassent.

J'ai beau jouer à fond le rôle de la naïve ou de l'idiote de service, je ne peux plus nier les faits : Mathieu me trompe.

Si au moins il avait le courage de me l'avouer. Pas du tout ! Il nie tout en bloc.

Saura-t-il m'expliquer comment sa langue s'est retrouvée à gigoter dans la bouche de Valentine ? Il répondra que sa langue a sa propre vie, qu'elle est dans un pays libre et qu'elle a le droit de faire ce qu'elle veut, quand elle le veut avec qui elle veut ? Que ses droits sont protégés par la Charte des droits et libertés des langues ?

Et il va s'attendre à ce que je réponde en me frappant le front de ma main : «Mais oui, tu as raison, où avais-je la tête? J'ai vraiment pensé que t'avais *frenché* Valentine. C'est pas toi, c'est ta langue! Cette friponne! C'est elle aussi qui t'a forcé à me mentir, c'est ça? Double friponne!» Et je vais éclater d'un rire niais tout en me tapant les fesses à un rythme endiablé parce que oui, je suis la reine du divertissement.

Depuis mon retour de vacances, il m'a remplie de mensonges comme une cruche.

C'est blessant. Il me manque de respect.

Toutes les fois qu'il m'a dit qu'il m'aimait, est-ce qu'il disait la vérité?

Le savoir amoureux de Valentine me déchiquette le cœur.

Comme si on l'avait mis dans un mélangeur et qu'on avait appuyé sur la touche «Liquéfier».

Et que Valentine avait versé le résultat dans la toilette et l'avait *flushé*, comme les parents font avec le poisson rouge de la famille mort pendant que les enfants sont à l'école.

Paraît que tout le monde à l'école est au courant de la relation entre Mathieu et Valentine.

Sauf moi.

Même la madame de la cafétéria chargée de verser la sauce brune sur les poutines est au courant. Elle, je suis sûre qu'elle s'en fout comme de l'an 40.

La torture a assez duré.

J'ai décidé d'affronter Mathieu aujourd'hui.

Il y a des limites aux maltraitances qu'on fait subir à ma dignité.

Elle a les deux bras cassés, des côtes fracturées, un œil au beurre noir et je ne parle pas de son coccyx (combien de points au Scrabble?) qui la fait hurler de douleur chaque fois qu'elle s'assoit.

Une autre agression et faudra l'envoyer aux soins intensifs.

Je m'apprête à redonner un peu de vigueur à mon estime de moi-même : je m'en vais chez le dentiste.

Là où je vais devoir ouvrir la mâchoire toute grande et baver comme un saint-bernard sur une serviette de papier pendant qu'un quasi-inconnu fera de la mécanique dans ma bouche tout en me posant plein de questions sur ma vie sans voir que je ne peux que lui répondre des sons incongrus parce que j'ai un instrument qui maintient ma bouche ouverte. J'ai l'air de sauter en parachute, me semble que ça paraît!

* *

RÉVEILLEZ LE CULTURISTE EN VOUS!

Vous trouvez que votre langue manque parfois
de tonus? Que son potentiel n'est pas exploité
à sa pleine mesure? Qu'elle pourrait vous en donner
plus, mais qu'elle cède souvent à la paresse?
Musclez-la! En commandant l'ensemble Lingua-3000,
vous serez en mesure, avec votre langue
(après quelques exercices), de tirer un autobus,
de briser des briques ou de glisser «Zaza zézaie,
Zizi zozote» dans toutes vos conversations.

www.lebrevetesteninstancederejet.com

* *

C'est quoi le rapport entre
les serviettes hygiéniques et les fleurs ?

Namxox

Publié le 15 janvier à 16 h 26
Humeur : Soulagée

> La mer rouge

Finalement, mes seins lourds, ce n'est pas un cancer, c'était signe que mes menstruations étaient sur le point d'arriver.

Un phénomène paranormal nommé SPM qui fait un peu perdre la tête à des milliards de femmes une fois par mois.

Par exemple, j'ai réussi à me convaincre qu'il y avait sous ma peau des crabes miniatures en train de danser un savant mélange de rumba et de disco.

Encore une fois, j'ai capoté pour rien.

Assez, mes hormones !

Je serais d'accord pour qu'on passe une loi afin de leur accorder moins de pouvoir.

C'est vrai ! Nous sommes des marionnettes pour elles.

Lors de la prochaine campagne électorale, les politiciens devraient se pencher sur ce problème de société.

Au diable la santé, l'éducation et les subventions à la main-d'œuvre aux petites et moyennes entreprises qui ont vécu une catastrophe naturelle au cours des cinq dernières années. Il est temps de mettre les hormones au pas !

Pas juste celles des femmes. Non monsieur, non, madame et non, le garçon en arrière du buisson dans ma cour qui m'espionne avec des lunettes d'approche tout en grignotant la pâte à modeler séchée restée sous ses ongles.

Les gars aussi ont des agissements illogiques en raison de leurs hormones. Comme faire du *car surfing* sur l'auto-route à 160 kilomètres à l'heure tout en textant. Ou s'énerver les poils des dessous de bras (quand ils en ont) à la vue d'une bouteille d'eau parce que c'est plein de courbes et qu'avec beaucoup d'imagination et de mauvaise foi, la bouteille rappelle les courbes d'une femme.

(*OMG*, j'ai pris du Midol contre mes crampes menstruelles, j'ai moins mal, mais je constate que je suis comme un chien qui serait parvenu à grimper sur une tablée de Noël : déchaînée et sur le point de recevoir un coup de journal sur les fesses [hein?].)

(...)

Mathieu n'était pas à l'école, je n'ai pas pu lui parler.

Je lui ai envoyé un texto en début d'après-midi, il ne m'a pas répondu.

Je viens de lui en envoyer un autre, toujours pas de réponse.

Je me sens misérable.

J'ai toujours été indépendante.

J'ai toujours eu du leadership, de l'entrain et un sens de l'humour délicieux (mettons).

Depuis que ça va mal avec Mathieu, je ne suis plus la même. ☹

Je me sens dépendante de lui, c'est plus fort que moi.

Je pense que s'il me promettait de revenir, si je me faisais faire un *stretch* sur les ailes du nez et que je parlais en appliquant à la lettre la règle erronée suivante : «les si finissent toujours en rais» – si j'aurais, si je serais ou si je déambulerais (juste de l'écrire, ça me flétrit le cerveau) –, j'y songerais, même si c'est contre mes principes.

Pourtant, il m'a menti à tour de bras.

Et il m'a trompée.

J'en ai contre Valentine, mais Mathieu est un grand garçon, il est responsable de ses actes. Il n'a pas reçu un sort qui le force à agir comme un crétin immature.

Et pourtant... je l'aime encore.

Je ne me reconnais pas.

Je ne me suis jamais autant manqué de respect – sauf la fois où il a fallu que je me mouche dans une serviette sanitaire «flux intense» parce que j'avais plus de kleenex et que c'était la seule chose que j'avais sous la main.

Et c'est pas le genre de truc que je peux raconter ouvertement parce que je vais passer pour une folle.

Tout le monde va me dire d'oublier Mathieu, que je vaux mieux que lui, que des gars, il y a en des centaines qui valent plus cher que lui, et que, parce que je suis belle et intelligente, ils vont se jeter à mes pieds en vue de former un couple avec moi.

Et ils auront raison – surtout la partie qui traite de ma grande beauté, gnac, gnac, gnac – parce que c'est rationnel et que c'est d'une implacable évidence.

Et pourtant, j'aime encore Mathieu.

Je devrais être en colère et l'envoyer paître dans les champs avec Marguerite la vache et Bobette la chèvre.

Si je pouvais l'effacer complètement de ma vie, genre déménager dans une autre galaxie – question que les risques de le rencontrer soient nuls -, je le ferais.

Mais il fréquente la même école que moi. Valentine aussi.

Les risques sont élevés que j'assiste un jour à leurs gestes indécents, par exemple, se tenir par la main, se lancer des sourires complices, ou se faire la courte échelle à tour de rôle pour tenter de comprendre pourquoi les horloges de l'école ne fonctionnent plus depuis 1983.

Juste d'y penser, c'est comme si on m'enfonçait un pieu dans le cœur.

Malheureusement, je ne suis pas une vampire, ça ne me fait pas mourir, un pieu dans le cœur. Ça me fait juste terriblement mal.

(...)

Parlant de vampire, je suis allée chez l'orthodontiste ce matin. (Le lien ? Vampire = dents pointues = dentiste = hygiéniste dentaire = mauvaise haleine – sans blague, à l'heure qu'il était, c'est à se demander si elle ne saupoudre pas d'ail ses céréales.)

Ce n'est évidemment pas la première fois que j'y vais pour faire ajuster mes broches, mais je pense que c'est la première fois que j'en parle.

Pourquoi ? Parce qu'il ne se passe jamais rien d'intéressant dans ce cabinet.

Sauf aujourd'hui.

(C'est arrivé à quelques reprises que, de la salle d'attente, j'entends le bruit d'une perceuse suivi d'un hurlement ou que j'assiste à la fuite d'un dentier qui refuse de passer le reste de sa vie dans une bouche de personne âgée, mais est-ce vraiment captivant? Tsé, j'ai habitué les lectrices de ce blogue anonyme et lu par zéro personne à des péripéties plus captivantes, je dépasse même les normes de qualité en matière de vies abracadabrantes.)

Voici comment ça se passe habituellement: je dis à la secrétaire que je suis arrivée, je m'assois, j'ouvre un magazine des années 90 et à peine ai-je commencé à le feuilleter que l'hygiéniste dentaire m'invite à la suivre.

Je m'assois sur la chaise de torture, elle donne des coups de marteau-piqueur dans ma bouche pour déloger le tartre (me brosse pas les dents souvent), le dentiste surgit, fait semblant de s'intéresser à ma vie en me posant des questions insignifiantes, ajoute quelques élastiques ici et là, enfile des gants, pose un pied sur mon front, tire sur le fil de fer de mes broches et garde le meilleur pour la fin : avec tout le tartre délogé par l'hygiéniste dentaire, sculpte une œuvre d'art qu'il s'empresse de m'offrir et que je foutrai directement à la poubelle à ma sortie de la clinique.

C'est avec l'hygiéniste dentaire que le choc des générations (mettons) a eu lieu.

(...)

Bon, je vais souper, je reprends mon histoire poignante (oui, oui) plus tard.

Monsieur Poussin,
il faut vous préparer à la guerre

Namxox

> Une surprise? Ouiii!

Demain, vendredi, c'est mon anniversaire, mais on va le célébrer samedi.

Pourquoi?

Parce que Mom a préparé un «événement spécial».

Calmement, je lui ai demandé:

- C'est quoi, c'est quoi, c'est quoi?

- C'est une surprise, tu sais que je ne vais pas te le dire.

Je me suis tournée vers Pop.

- Toi, tu sais ce que c'est?

Il a fait non de la tête avant de boire une gorgée de bière.

- Évidemment que tu ne sais pas. Les seules choses qui t'intéressent se situent dans ton garage. Tu sais qui je suis par rapport à toi?

Depuis quelque temps, j'aime bien niaiser avec Pop. Boire de l'alcool le rend moins timide et lui donne le sens de l'humour. J'adore ça, même si ça me fait peur qu'il ait recommencé à boire.

Pop a plissé les yeux en me regardant:

- T'es pas la femme de ménage?

- *Nope.* Je suis ta fille.

- Vraiment ? Je viens d'avoir une émotion.

- Tu t'es rappelé que c'est mon anniversaire demain ?

- Vraiment ? Tu dois bien avoir aux alentours de 22 ou 23 ans ?

- 15.

- Oh, *shit*. Juste 15 ? Ça a paru vraiment plus long.

Je lui ai lancé mon trognon de pain.

- *Heille*, c'est chien !

Fred, qui ne comprend pas pourquoi ses sourcils ne repoussent pas plus rapidement, est intervenu :

- Moi, je sais ce que c'est, ta surprise.

- Frédérick, a fait Mom.

- Quoi ? Je vais pas lui dire.

Tintin s'est posé à haute voix une question existentielle fort à propos :

- De la peau de poulet rôtie, pourquoi ça ne se vend pas à l'épicerie ?

Après avoir expulsé le contenu de ma bouche par le nez, je lui ai demandé :

- C'est quoi le rapport avec mon anniversaire ?

- C'est vrai, je suis sûr que ça pourrait être un succès. Ils vendent des pains aux graines pour les oiseaux, je ne vois pas comment on pourrait échouer.

Mom a protesté :

- C'est pas des pains aux graines pour les oiseaux, ce sont des pains aux graines, comme le lin, le millet ou germées.

- Aux dernières nouvelles, l'être humain est carnivore, pas granivore. Les graines, c'est pour les oiseaux.

Mom :

- C'est bon pour le transit intestinal, les graines. C'est plein de fibres.

Tintin a regardé Fred.

- La peau de poulet rôtie, il faut essayer ça. C'est l'avenir de l'industrie alimentaire. Cinq secondes au micro-ondes et c'est parfaitement croustillant et gras.

- Et parfaitement dégueu, j'ai dit.

Mon frère a posé son menton sur son poing et, songeur, a laissé tomber :

- Faudrait élever des poules.

Mom a bondi :

- Wô les moteurs !

Ça n'a pas arrêté Fred de divaguer.

- On commencerait par quelques poules, genre deux ou trois. Une fois qu'elles seraient assez grosses, on leur tordrait le cou...

- Le couper à la hache serait plus rapide, a fait remarquer Tintin. Il faut penser productivité. Et briser le cou d'un poulet, c'est pas si facile. Il faut des années de pratique pour y arriver.

- Après, on demanderait à Nam de les déplumer et de les vider.

J'ai fait non de la tête.

- Ne me mêle pas à tes idées révolutionnaires.

– On va te payer. Bon, au début, faudra que tu nous aides, question de nous donner une marge de manœuvre dans notre budget. Une fois qu'on sera lancés, on va t'offrir un bloc d'actions...

– Et une place à la table du comité d'administration.

– Wow, je me sens tellement privilégiée de faire partie des membres qui ont démarré une entreprise qui va ridiculiser notre famille pour au moins un millier d'années.

– Aucune poule n'entrera dans cette maison, a réitéré Mom.

– Non, a répliqué Fred. On fera notre expérience dans le cabanon. Et l'hiver, on transportera le tout dans le garage.

Pop a ouvert grands les yeux.

– Il n'y a rien avec des plumes qui mettra les pattes dans mon garage.

Question piège que j'ai posée à Pop :

– Pas même un oreiller?

– Si c'est un oreiller à pattes, c'est non. Je ne blague pas, Frédérick et Martin. Si des poules apparaissent dans mon garage, je vais faire preuve d'une grande imagination avec mes outils pour m'en débarrasser. Ça va être un carnage.

J'ai repris les choses en main en recentrant la conversation :

– Je ne comprends toujours pas quel est le lien entre mon anniversaire et la peau rôtie de poulet.

– C'est simple, a répondu Fred. On parlait de ton anniversaire. J'ai pensé à un gâteau d'anniversaire, puis aux chandelles, puis à la cire, aux chandelles de nouveau, à ton anniversaire, à nous autour de la table, à Fred, à sa carrière de lutteur, à ses exercices pour se donner des muscles, à sa peau et, enfin, à la chair de poule parce que quand je lui mets de l'huile, il l'a.

– *Heille*! J'ai pas la chair de poule!

– Ça va, Fred. J'accepte que t'aimes ça. Ça fait partie des coquetteries de notre amitié. Comme lorsque tu as essayé le brillant à lèvres de ta sœur et que tu m'as demandé si ça rendait tes lèvres plus pulpeuses.

J'ai explosé:

– T'as pris mon *gloss*?!

– Une fois, s'est repenti mon frère. Ou deux. Je voulais juste voir ce que ça donnait.

Cette discussion familiale prenait une tangente de plus en plus gênante. Que Fred ait des frissons quand son ami lui applique du gras de bacon sur la peau pour la faire luire, je ne veux pas être au courant de ça.

Et qu'il utilise mon *gloss* sans ma permission, que je ne lui donnerais pas, de toute façon: grrr. 😠

Est-ce qu'il va falloir que je cache mon maquillage, maintenant? Mes robes? Mes soutiens-Georges? Mes talons hauts? (Si hauts que j'ai la tête dans les nuages quand je les porte et que j'ai besoin de l'échelle des pompiers pour les enlever, hé, hé, hé.)

Bref, demain, j'ai 15 ans. Et après-demain, je vais avoir droit à une surpriiise!

Zoukini!

(...)

Pas de nouvelles de Mathieu.

Il ne me répond pas parce qu'il sent qu'on va casser et ça lui brise le cœur.

(Si seulement c'était ça...)

(...)

Mon frère veut l'ordi, je gage 20 dollars et un de mes reins qu'il veut faire des recherches sur l'élevage de poules.

OMG.

C'est elle, Francine
(mettons)

Namxox

> Je suis pathétique

Misère.

Je viens encore de texter à Mathieu.

Il y a deux Namasté en moi.

La première est orgueilleuse et fière.

«Mathieu? Qu'il aille péter dans les fleurs et qu'il se fasse une salade avec! Je suis belle, intelligente et drôle, je mérite mieux que lui. C'est lui l'imbécile qui ne se rend pas compte de ce qu'il rate.»

Et il y a l'autre Namasté. Celle qui manque de confiance en elle, qui veut être aimée à tout prix. 🙁

«Je l'aiiime tellement! Il ne peut pas me laisser! Je vais tout faire pour le garder, même l'enchaîner dans mon sous-sol, le nourrir de riz et d'eau, le laver à la lance d'incendie et, lorsqu'il va hurler son mal-être, je vais faire passer ça sur un problème de tuyauterie.

(J'ai le droit de faire ça, non? Si je ne le maltraite pas trop, je veux dire.)

Et les deux Namasté de se battre dans du Jell-O aux réglisses rouges (ne me demandez pas pourquoi, c'est trop long à expliquer).

Quand les deux Namasté sont à bout de souffle, toutes collantes et sur le point de dégobiller sur les murs parce qu'elles ont bouffé la gélatine à saveur délicieuse, elles en viennent à un compromis : envoyer un texto de supplication qui n'a pas l'air d'une supplique.

Genre : « Mathieu, je dois te parler à tout prix, sinon j'avale mon téléphone. »

C'est une blague, mais sous laquelle se cache tout le désarroi du monde, le mien.

Il ne m'a toujours pas répondu.

Quand il va le faire, je devrai absolument garder le contrôle sur mes émotions.

Absolument.

(...)

Je n'ai pas terminé mon anecdote succulente au sujet de l'orthodontiste ce matin, je me lance donc.

Ça s'est passé avec l'hygiéniste dentaire, une fille de 25-65 ans (difficile de juger, on va comprendre pourquoi bientôt) aux dents blanches.

Je me reprends : aux dents extra blanches. Chaque matin, elle ne se les brosse pas, elle se passe du papier sablé dessus et se rince la bouche avec de l'eau de Javel.

Ça fait mal aux yeux tellement c'est blanc.

Je pense que c'est à cause de son teint.

Pas bronzé. Pas brun.

Non : cuit.

Elle est tellement bronzée qu'elle doit dormir dans une rôtissoire et avoir des lampes UV dans son auto branchée à son allume-cigarettes.

C'est épeurant.

Je n'arrive pas vraiment à déterminer son âge.

Cette femme-là, si elle tombe malencontreusement dans une piscine de sauce brune et qu'elle ne sait pas nager, elle se noie à coup sûr. Jamais on ne va pouvoir la retrouver, à moins qu'elle affiche son sourire éclatant.

Parlant de sauce brune, j'ai essayé de mettre ma langue sur sa peau pour voir si elle dégageait une saveur de barbecue.

Pas facile de lécher quelqu'un sans qu'il s'en rende compte...

J'ai échoué. Mais ce que j'ai réussi à faire, cependant, est de me coincer les broches dans le foulard de laine qu'elle portait au cou. ☺

Aucune. Idée. Comment. J'ai. Fait. Ça.

Mais j'ai réussi.

Francine s'est penchée vers moi et s'est affairée dans ma bouche quelques minutes (elle a installé le Wi-Fi dans mes broches pour que je devienne une borne ambulante, question de rentabiliser le coût de l'appareil dentaire) et quand elle s'est redressée, j'ai vu un fil de laine partir de ma bouche jusqu'à son foulard.

Elle ne s'est rendu compte de rien et elle est sortie de la pièce.

Et puisque je ne pouvais pas parler en raison du machin qui maintenait ma bouche ouverte, je n'ai pas pu l'avertir.

Avec ma main, j'ai essayé de tirer sur le fil pour le déloger de mes broches, mais c'était comme si un marin intoxiqué à la boisson énergisante et au hareng fumé y avait fait un nœud.

J'étais supposée faire quoi?

Hurler comme une débile, ce qui revient à imiter le cri du goéland ayant une frite coincée dans la gorge?

Avec mes doigts, j'ai essayé de couper le fil, mais il était trop résistant.

J'ai essayé de l'affaiblir en faisant gicler de l'eau dessus avec le robinet rince-bouche.

J'en ai mis partout (même sur la lumière, une chance que je ne me suis pas électrocutée), sauf sur le fil.

Je me suis dit : « Laisse faire, Nam, elle va revenir dans quelques instants et vous allez rire de cet incident comme deux larrons en foire. »

(C'est quoi, des « larrons en foire »?)

Une seconde passe.

Puis deux.

Et trois.

Et je commence (pour faire changement) à me créer un scénario catastrophe.

Genre : Francine est à l'autre bout, couchée sur le sol, le visage bleu, la langue sortie, tentant désespérément de retirer le fil qui lui enserre le cou et l'empêche de respirer.

Et si je ne fais rien, en plus d'être accusée d'homicide involontaire, je devrai vivre toute ma vie avec sur la conscience la mort d'une femme honnête, mais à la peau carbonisée. 😶

(Une pensée saugrenue vient de me traverser l'esprit : si un jour Francine se fait incinérer, il faudra très peu de temps parce qu'elle est déjà aux trois quarts cuite. Oh là là que je suis hilarante ! Vite, donnez-moi un trophée pour la «Plus meilleure comique ayant fait de l'humour noir [grillé, plutôt] sur un blogue anonyme» !)

J'ai fait ce que toute citoyenne responsable aurait fait dans les circonstances : me fermer les yeux, me boucher les oreilles et chanter (plus geindre) *Tu bois beaucoup de café pour une adolescente* – chanson qui existe vraiment, c'est de Don Caballero, il porte le nom d'un vin bon marché, mais bon, qu'est-ce que je peux y faire !

Vu que je ne suis pas une citoyenne responsable mais plutôt une superhéroïne, je me suis décidée à me lever, ce qui n'est pas si facile à réaliser lorsque la chaise du dentiste reste désespérément en position horizontale.

Après avoir tout renversé dans la pièce, j'ai suivi le fil, angoissée à l'idée de trouver au bout cette pauvre Francine, le visage bleui sous un masque de chocolats d'Halloween qui aurait passé quelques années dans le haut d'une armoire.

Ai-je besoin de rappeler que j'avais toujours les écarteurs labiaux et jugaux avec supports rembourrés dans la bouche (plus communément appelés «ouvre-bouche»)?

J'avais l'air d'un troll affamé avec mon air ahuri et la salive qui me coulait sur le chandail.

Je ne suis pas allée loin : un guerrier portant un casque avec des cornes, tenant à la main une hache à double tranchant et dégageant une vague odeur de décomposé (bref, un Viking) m'a jeté un rayon de lumière qui m'a immédiatement transformée en pierre.

Mais nooon, je niaiiise.

L'orthodontiste est entré sur les entrefaites, perdant pied à cause de ma bave sur le plancher.

Je lui ai fait des signes de bras en poussant des barrissements, il a paniqué, croyant qu'un avion était sur le point d'atterrir dans son bureau.

J'ai finalement réussi à lui faire comprendre, grâce à mes talents de mime, qu'au bout du fil se trouvait le corps raide et déjà en putréfaction de Francine, morte d'une strangulation foulardienne.

Puis, coup de théâtre ! Francine est apparue, le teint toujours aussi cuit, mais avec 75 % moins d'accessoire mode dans le cou.

On a bien ri de cette aventure, puis on a pleuré et on s'est donné rendez-vous dans dix ans, même jour, même heure.

Je serai alors sur le point d'avoir 25 ans alors que Francine, elle, sera plus proche de l'étape poussière.

« Cette historiette était une présentation des menstruations de Namasté et de ses cousines, les crampes utérines, toujours au rendez-vous, même quand elle n'a pas le goût. »

(...)

Je le savais, Fred a cherché des informations au sujet de l'élevage de poules.

Et je suis heureuse de m'apprendre (?!) qu'il n'en est plus question. ☺

Fred dit que c'est trop compliqué.

Et qu'une poule mange continuellement.

Et qu'elle fait avec autant de fréquence ce qu'il advient de la nourriture lorsqu'elle arrive au bout de son périple dans le système digestif.

J'ai pensé qu'on aurait pu faire de l'argent avec une compilation vidéo de toutes ces poules pas de tête qui continuent de courir avant de mourir, mais ça va à l'encontre de mes valeurs, qui ne cautionnent pas la cruauté envers les animaux. Sauf les porcs pour faire le bacon, bien sûr. Et les bœufs pour les filets mignons. Et les tigres pour les Frosted Flakes, ces flocons de maïs avec un parfait enrobage sucré.

Donc, fini le projet de commercialiser de la peau de poulet cuite.

Il y a toutefois quelque chose qui m'inquiète : Fred a trouvé des informations sur l'élevage des baleines bleues et ça l'intrigue.

– Parce qu'une baleine bleue n'a ni poils ni plumes et qu'on n'aurait pas à passer un temps fou à la déplumer. Et la superficie de sa peau est super grande. Reste juste à trouver un aquarium suffisamment grand pour lui permettre de s'ébattre à son gré. Et un restaurant de sushis qui accepterait de prendre le reste.

J'ai ajouté mon grain de sel au délire de mon frangin :

– Es-tu sûr que la baleine bleue n'est pas une espèce en voie de disparition?

– Mouais... J'ai pas pensé à ça. Mais tu me connais assez pour savoir que j'ai un plan B.

– B pour quoi? Bête? Bévue? Bêtise? Bran de scie?

– Rira bien qui va... Euh... rira avant la fin

– On dit: «Rira bien qui rira le dernier.»

– Ouais, c'est ça. Mon plan B, c'est de faire l'élevage des éléphants. Beaucoup de peau sur cet animal! Je vais faire des appels dans des zoos, voir s'ils pourraient nous venir en aide.

– Attends, tu vas contacter des amis des animaux pour leur demander de t'aider à massacrer de pauvres mammifères sans défense?

– Les éléphants ont des défenses, justement. Je vais les vendre sur le Net, le marché de l'ivoire est fort ces temps-ci. Il y a sûrement quelques braconniers qui pourraient être intéressés.

– Fred, t'aurais besoin qu'on t'attache sur une chaise et qu'on te fasse regarder pendant des mois, 20 heures sur 24, des émissions jeunesse avec un dinosaure mauve et des enfants toujours souriants qui parlent en rimes. Ça commence à être urgent.

(...)

Il est presque minuit, faut que je dorme.

Même si j'ai autre chose à raconter...

> **On tourne la page**

C'est fini avec Mathieu.

Comme je suis incapable de faire les choses de manière traditionnelle, ça s'est passé un peu bizarrement.

Kim m'a fait deux révélations au sujet de Valentine :

1- Mathieu et elle, c'est du sérieux, photo à l'appui (que j'ai refusé de regarder parce que, tsé, je ne suis pas maso) ;

2- Après le refus de Monsieur Patrick de refaire des élections pour choisir une nouvelle rédactrice en chef de *L'Écho des élèves desperados* parce que madame Valentine n'approuve pas les directives éditoriales que je lui donne, cette dernière a décidé de démarrer son propre journal pour faire concurrence au mien.

Elle n'a pas perdu un instant et, pendant les vacances, elle a recruté quelques-uns (plusieurs !) de mes collaborateurs.

La vipère !

Sur un peu plus d'une vingtaine, 12 m'ont remis leur démission.

Monsieur Patrick est hors de lui, mais il ne peut rien faire parce que rien n'empêche Valentine de démarrer son propre journal si elle le désire.

Quant aux journalistes et aux photographes, ils sont libres de faire du bénévolat avec qui ils veulent.

C'est chien.

Ce n'est pas tout.

Elle ne s'est pas contentée de me voler mon *chum* (ex-*chum*, je veux dire), j'ai appris ce matin dans l'autobus que pendant que j'étais dans le Sud, elle a entrepris une campagne de salissage à mon endroit.

Elle a raconté aux collaborateurs (ex-collaborateurs, je veux dire) que la première version du journal était mauvaise, que je parlais dans leur dos, que je les trouvais sans talent et que, attention, entre Monsieur Patrick et moi, il se passait des «choses étranges», ce qui expliquerait pourquoi je suis devenue rédactrice en chef, genre, Monsieur Patrick aurait trafiqué les résultats du vote!

Tout ça est tellement faux!

Et laid.

Cette fille me fait capoter.

Et c'est quoi, des «choses étranges»? Ça veut rien dire et tout dire en même temps!

Ça peut aller de Monsieur Patrick et moi, on a une passion commune : le décorticage de crevettes, à Monsieur Patrick et moi, on s'aime secrètement!

Je sais d'où ça vient : j'ai dit un jour à Valentine que je trouvais Monsieur Patrick à mon goût. Que s'il était ado, ce serait le type de gars avec qui je sortirais parce que lui et moi, on a beaucoup en commun.

J'aurais tellement dû me la fermer.

Pourtant, ce matin, en mettant les pieds dans l'autobus, j'étais zen et souriante.

C'est mon anniversaire, quand même! Un événement qui n'arrive qu'une fois à chaque révolution de la planète bleue autour de l'astre lumineux.

J'ai 15 ans! La seule fois dans ma vie où ça va m'arriver (deuh!). Mais j'ai d'autres chats à fouetter, faut croire.

Donc, je filais le plus-que-parfait bonheur jusqu'à ce qu'une fille (Anne, la fille qui est au courant de TOUTES les rumeurs, surtout les plus absurdes) me demande si Monsieur Patrick était venu dans le Sud avec moi.

Ma réponse:

– *Ouatedephoque?*

– Eh bien, t'es allée dans le Sud et lui aussi.

– Et alors?

– Alors un plus un, ça fait deux.

– Oui, et deux plus deux, ça fait quatre.

– Tu sais ce qu'on raconte, non?

– À quel sujet? Que t'as la langue tellement sale que tu dois passer dans un lave-auto pour la laver?

– Ne tue pas le messager, Nam. Je ne fais que répéter ce que j'ai entendu.

– En rajoutant quelques détails croustillants, comme la fois où t'as raconté à tout le monde que Marilou avait un troisième mamelon dans le dos.

Anne, ce n'est pas ma favorite. Elle prend plaisir au malheur des autres et parfois elle y participe en racontant n'importe quoi, pourvu que ce soit humiliant/troublant/scandaleux.

– J'avais été mal informée. Comment je pouvais savoir que c'était un grain de beauté ? De toute façon, cette fois, mes sources sont fiables.

– Ah oui ? C'est qui ? Ton imagination malade ?

– T'es donc ben agressive, ce matin. C'est une vraie source qui m'a dit qu'il se passait des choses étranges entre Monsieur Patrick et toi.

– Des choses étranges ? C'est quoi, ça ?

Anne a esquissé un sourire narquois que je n'ai vraiment pas aimé.

– C'est à toi de me le dire.

– Je n'ai rien à te dire. Il n'y a rien d'étrange entre Monsieur Patrick et moi.

– Rien de... tu sais...

– Non, je ne sais pas. Qui t'a raconté ça ?

– Je ne peux pas te le dire. Je lui ai garanti l'anonymat.

Elle dit toujours ça !

– Tu lui as garanti l'anonymat ? Moi, je te garantis une rencontre avec Monsieur Patrick et Monsieur M. si tu ne me dis pas qui c'est. Il y a des limites à raconter n'importe quoi. Ça ressemble pas mal à une atteinte à la réputation.

Anne a regardé à gauche et à droite avant d'approcher sa bouche de mon oreille.

– D'accord, d'accord, pogne pas les nerfs. Tu me promets de ne pas lui en parler ?

Pff, si tu penses!

- Oui, oui. Dis-moi qui c'est.

- Promets-le-moi.

J'ai croisé mes doigts et mes orteils.

- Ouais, ouais, promis.

- C'est Valentine.

- La vache! Elle ne perd rien pour attendre, celle-là.

- *Heille*, tu m'as dit que t'allais rien lui dire.

Je m'aperçois soudain que choisir le truc de se croiser les doigts pour que ça ne compte pas est bon pour les 8 ans, pas pour les 15.

- Oui, oui.

C'est ainsi qu'a débuté une des supposées plus belles journées de l'année, celle de mon anniversaire.

Au moins, Kim et Nath m'ont fait un cadeau, une super belle paire de boucles d'oreilles faites d'attaches à pains, bijoux qu'elles ont fabriqués elles-mêmes.

Elles ont une collection de boucles d'oreilles faites maison toutes plus étranges les unes que les autres, des têtes de poupées (!), des plectres (les pics pour gratter les cordes d'une guitare), des fermetures éclair. Il y en a même avec des tampons, j'ai bien ri quand elles me les ont montrées, mais ni l'une ni l'autre n'a encore osé les porter en public, je comprends un peu pourquoi, si elles suent ou s'il pleut dessus, elles vont tripler de volume.

Kim et Nath sont super chouettes. Je les adore.

Je ne peux pas dire la même chose de Valentine.

Fille de parole que je suis, j'ai tenu la promesse que j'ai faite à Anne pendant longtemps (un bon cinq minutes), jusqu'à ce que j'arrive face à face avec Valentine.

J'ai gardé mon calme.

Mais j'ai été claire, nette et précise avec elle.

(...)

Mathieu vient d'entrer dans la biblio, il veut qu'on parle. 🙂

Merci, mais non merci

Namxox

> J'ai mal

Quelle journée de *schnoute*.

Une des pires de ma vie.

Le jour de mon 15ᵉ anniversaire, je vais m'en souvenir longtemps.

Ce matin, quand j'ai officialisé ma séparation avec Mathieu en passant par Valentine (je vais tout expliquer plus tard), je me suis surprise à bien réagir.

Genre trop bien.

Peut-être parce que je venais de dire à Valentine tout ce que j'avais sur le cœur?

Cette légèreté de l'être, gracieuseté du jet de frustrations que j'ai déversé brutalement sur elle, n'a pas duré longtemps.

Moi, faire comme s'il ne se passait rien, je ne suis pas capable.

Je connais quelques filles qui peuvent sourire à des personnes qu'elles poignardent dans le dos, mais je ne suis pas de cette race d'hypocrites dont Valentine fait bien sûr partie.

Parce que, lorsqu'elle m'a aperçue, elle m'a adressé le plus mielleux des sourires.

— Naaam! Comment se sont passées tes vacances?

Ma réponse : une gifle, un coup de genou dans le ventre et ahhh ya!, un coup de karaté tellement fulgurant qu'il a séparé sa tête du reste de son corps.

Oh oui, je suis puissante à ce point.

J'ai caché son cadavre dans deux casiers parce que juste un, ses jambes dépassaient.

Mouahahahah!

Mais nooon.

Je ne suis pas violente, même lorsque certaines personnes méritent des baffes.

Voici donc le résumé de ma charmante conversation avec Valentine :

Moi : Comment peux-tu me sourire après tout ce que tu m'as fait?

Elle : Quoi?

Moi (l'imitant avec un air de dédain) : «Quoi?» Je sais qu'il se passe quelque chose entre toi et Mathieu. Comme je n'arrive pas à le joindre, tu lui feras le message que c'est fini entre lui et moi.

Elle (étonnée [pfff!]) : Fini? Pourquoi?

Moi : Parce qu'il me trompe avec toi. De plus, je suis au courant de ton projet de créer un journal étudiant. Pour aller avec ton obsession des chats, j'ai trouvé le nom parfait : *La litière*. Et en passant, il ne se passe rien entre Monsieur Patrick et moi. C'est un secret que je t'ai révélé. Merci de l'avoir répété à Anne, la fille la plus discrète du pays. Je te jure que si tu n'arrêtes pas de raconter n'importe quoi sur moi, tu vas me retrouver sur ton chemin. Et je ne serai pas un brigadier grincheux qui fait traverser des enfants, non, je vais être une licorne, mais à la place de la corne, ça va être un sabre laser.

Bouche bée, Valentine ne s'attendait vraiment pas à ce que je sois honnête (et brutale) avec elle.

C'est peut-être aussi le fait de me comparer à un brigadier bougon ou à une licorne Jedi qui l'a déboussolée, je ne sais pas. 😳

Mais l'important est que j'aie réussi à la décontenancer.

J'ai été fière de moi pendant quelques minutes.

Puis, je me suis souvenue :

❀ Que Valentine m'a volé mon *chum* ;

❀ Que Valentine se propose de démarrer un projet de journal étudiant concurrent à *L'ÉDÉD*, lequel devra redoubler d'efforts pour se démarquer ;

❀ Que Valentine a dévoilé aux Terriens et aux Terriennes, ainsi qu'aux Martiens et aux Martiennes, que Monsieur Patrick ne me laisse pas indifférente, ce qui est *full* gênant. C'était supposé être une information confidentielle, me semble que c'était clair, je me déteste TELLEMENT de lui avoir dit ça, je suis conne. 😒 Si je ne me retenais pas (et si c'était physiquement possible), je me mordrais une fesse.

Valentine m'a incitée à lui parler de moi, je trouvais ça formidable, une fille qui écoute vraiment, qui n'attend pas juste son tour pour parler d'elle.

Ça me faisait tellement de bien de partager mon jardin secret, je ne me suis pas doutée un instant qu'elle allait s'en servir pour me nuire.

Mon jardin secret... Je me sens comme si elle était entrée dedans, avait mordu dans toutes les tomates, avait déterré toutes les carottes et avait arrosé mes fleurs avec de l'essence avant de craquer une allumette pour les faire flamber et pour danser autour.

Bref, j'ai été *ownée* d'aplomb par Valentine.

Et quand je m'en suis rendu compte, il était trop tard pour réagir.

Puis, afin de rendre le jour de mon anniversaire encore plus magique qu'il ne l'était déjà, pendant l'heure du dîner, j'ai parlé à Mathieu.

Comment ça s'est passé ?

Y a-t-il un mot qui se situe entre horrible et catastrophique ?

(...)

Ça a mal : dans les mains, il avait un présent pour moi.

J'aurais dû le refuser, vu les circonstances, mais parce que je suis accro aux cadeaux – je diffuserais sur le Net des photos de Youki nu, mon p'tit chien d'amouuur, s'il le fallait pour en obtenir, oui, je n'ai pas de morale quand il est question de cadeaux –, je n'ai pas trouvé la force de le rejeter.

Sans mot dire, avec un sourire gêné, il m'a tendu une boîte et m'a souhaité un joyeux anniversaire.

C'était une boîte rectangulaire recouverte de feuilles lignées mobiles scotchées ensemble.

– Désolé, c'est la seule chose que j'avais sous la main.

Le goujat, il a osé être mignon ! Il n'a rien fait pour que je le déteste.

J'ai retiré les feuilles lignées et j'ai découvert un plat en plastique bleu avec le couvercle blanc.

J'ai trouvé la force de faire une blague suspecte.

– Wow, super, je vais pouvoir conserver plus long-temps mes restants de table. Je suis sûre que, prévoyant comme tu es, tu t'es assuré qu'il allait au lave-vaisselle et dans le four micro-ondes.

– Arrête, nounoune, ouvre-le.

J'ai soulevé le couvercle.

C'était des *cupcakes*.

Sept.

Sur chacun d'eux, une lettre.

Mais ils formaient un mot dont j'ignorais la signification.

– Amantés ? Ça veut dire quoi ?

Mathieu a jeté un œil dans la boîte, s'est excusé et a remis en ordre les petits gâteaux.

– Voilà, il a dit quand il a eu terminé.

Les sept petits gâteaux formaient N-A-M-A-S-T-É.

Je ne savais juste pas quoi dire.

– Ce sont des gâteaux à la vanille parce que je sais que le chocolat, tu n'aimes pas.

Ç'a été plus fort que moi, je me suis mise à pleurer.

Je ne voulais pas, mais j'ai craqué comme la coquille d'un œuf qu'on lance de toutes ses forces sur un plancher de béton.

J'ai pris mon sac à dos et je suis sortie de la bibliothèque avant que Madame Shhh!, avec ses bruits de bouche, me fasse signe de me taire.

Je me suis faufilée dans un corridor où, entre deux rangées de casiers, à l'abri des regards indiscrets, je me suis laissée aller à ma peine.

Quelques instants plus tard, Mathieu est apparu.

– Écoute, Nam, je voulais pas que ça se passe comme ça.

J'ai essuyé les larmes sur mes joues.

– T'allais me le dire quand pour Valentine?

– Bientôt. Ce n'est pas simple. Je ne voulais pas te faire mal, avec tout ce que tu vis.

– Eh bien, t'as raté ton coup, Mathieu.

– Je sais. Je ne voulais pas te faire mal. T'es tellement fine.

– «Fine»? Idiote, plutôt.

– Non, non. Pas idiote. Pas toi. T'es parfaite, vraiment.

– Tellement parfaite que tu m'as trompée avec une autre.

– T'étais en vacances, et ça s'est passé vite. Je trouvais juste pas le bon moment.

– Et il a fallu que ce soit avec Valentine. C'est une vraie garce.

– Je comprends que tu sois fâchée contre elle. Mais tout est de ma faute. Elle n'a rien fait.

– Vraiment? Me voler mes journalistes? Me *bitcher* dans le dos? Te coller comme une sangsue? Quand je t'ai demandé s'il se passait quelque chose entre elle et toi, tu m'as répondu que j'hallucinais. Et moi, la nouille, j'y ai cru.

– À l'époque, il ne se passait rien.

– Me semble. Comme par magie, en une demi-seconde, t'es tombé amoureux d'elle.

– Je n'ai pas fait exprès. C'est comme ça. Ça ne s'explique pas, ça se vit.

– Lâche-moi avec tes phrases creuses qui veulent tout dire et rien en même temps.

– C'est comme toi avec Monsieur Patrick...

Évidemment, Valentine lui en avait parlé. Je l'imagine très bien lui dire, au détour d'une conversation qui portait sur moi, que je lui avais avoué être secrètement amoureuse de mon prof de français, juste pour lui prouver que je ne suis pas une blonde aussi parfaite.

– Quoi, Monsieur Patrick?

– Eh bien, t'es amoureuse de lui. Est-ce que tu peux y faire quelque chose? Est-ce que t'as le contrôle sur ça?

– Tu n'es pas supposé savoir ça. Ce sont des affaires super privées. C'est pas pareil.

– C'est pas pareil? Mettons que Monsieur Patrick aurait 16 ou 17 ans et pas 35, tu te serais retenue de lui avouer ton amour même si tu sortais avec moi?

– Oui, parce que je suis fidèle.

– Je ne te crois pas, Nam. T'es une fille trop passion-
née pour t'en empêcher.

– De toute façon, ça n'arrive pas. C'est juste un fantasme, Monsieur Patrick. Même s'il ne se passera jamais
rien, ça me fait juste du bien d'y penser. Tout est tellement
simple avec lui. Tout est limpide. On a le même sens de
l'humour, les mêmes champs d'intérêts, les mêmes goûts
pour le cinéma et la musique. Mais quand je sors de mes
rêveries, je sais que ça n'ira jamais plus loin qu'une amitié.

– Ce que tu viens de décrire, c'est exactement ce que
je vis avec Valentine. Sauf que moi, je peux vivre mon
amour. Pourquoi je m'en priverais?

Je suis pour l'honnêteté, oui, mais des fois, me semble
que j'arrondirais ses coins. 😐

Avant de me quitter (au propre comme au figuré),
Mathieu a largué LA phrase que je ne voulais pas entendre :

– J'aimerais ça qu'on reste amis.

Comme si j'étais un personnage dans un film d'horreur
et que je parvenais à fuir en tenant dans ma main le bras
que le méchant m'a arraché et que je l'entendais soudain
me crier : «J'aimerais bien qu'on se revoie, Nam, question
que je puisse te faire souffrir encore un peu!»

Et moi de rebrousser chemin et avec mon bras arraché, je lui donnerais une claque au visage.

Non, merci.

(...)

Je dois aller souper.

Mom a préparé un repas spécial pour que ça ait l'air que j'ai aujourd'hui 15 ans et que j'ai le droit d'être la reine de la journée.

Je n'ai pas faim.

Moins parce que je suis déprimée que parce que j'ai mangé, en rentrant de l'école, les sept *cupcakes* que Mathieu m'a faits, tout ça en pleurant et en écrivant ce billet.

Je suis un être multitâche.

* *

DE L'AIDE EST DISPONIBLE POUR TOI

Rassure-toi, tu n'es pas seule:
des millions d'êtres humains souffrent de cette
maladie qu'est la dépendance aux cupcakes
(aussi appelés petits gâteaux ou muffins efféminés).
Notre ligne de soutien, ouverte 6 heures par jour,
104 jours par année, te permettra de discuter
de ce mal qui te ronge de l'intérieur
et qui t'éloigne de tes proches à mesure
que le taux de sucre augmente dans ton sang.
Agis avant de sombrer dans un coma diabétique
et que ton animal de compagnie préféré, alors
que tu gis sur le sol, inanimée, n'en profite
pour lécher tes lèvres délicieusement
barbouillées de glaçage.

www.cupcakesanonymes.com

* *

> ### > Mom, je t'aime!

OMG! Mom vient de me faire le plus beau cadeau de tous les univers de toutes les galaxies du monde entier!

Je CA-PO-TE.

Jamais je ne me serais attendue à ça.

J'ai vraiment la meilleure maman du monde.

C'est un cadeau qui ne coûte rien, mais qui a une valeur inestimable pour moi.

Avant de dire ce que c'est, voici la rétrospective de la soirée de mon 15e anniversaire de naissance.

(...)

Bien entendu, en me voyant arriver de l'école, Mom a tout de suite su que je n'allais pas bien.

C'est pas qu'elle me connaît si bien ou qu'elle a un détecteur à soucis, c'est plutôt que je ne voulais pas parler, que j'étais de mauvaise humeur, que j'avais les yeux rougis de peine et qu'elle a constaté que, sur mon sac d'école, j'avais rayé l'énorme «NAM + MATOU» dans un cœur que j'avais dessiné au marqueur rouge.

Sans compter la scarification que j'avais dans le front, MATOU FOREVER, que j'ai tenté de cacher avec une serviette sanitaire «flux intense» (ouaip, c'est la même de l'épisode de la vidange de nez, elle était comme neuve parce que «ultra-absorbante», tellement «ultra-absorbante» par ailleurs que j'ai peur de la porter et de disparaître dedans).

Dans la famille, il n'y a qu'elle de suffisamment sensible pour l'avoir remarqué.

En me voyant entrer dans la cuisine, Pop m'a demandé pourquoi j'avais le visage bouffi et Grand-Papi (qui va un peu mieux) a émis l'hypothèse que j'étais allergique aux arachides. 😲

Tintin a alors prévenu la famille qu'il se pouvait que dans quelques instants, parce que j'étais en choc anaphylactique, je m'effondre en raison de mon pouls rapide, de vertiges, de mon impossibilité à respirer due à mon œsophage enflé et d'une violente diarrhée.

Fred s'est dit déçu de ne pas avoir chargé sa caméra numérique, que ça aurait fait une «passionnante et poignante» vidéo à téléverser sur le Net.

– Laissez-la tranquille, leur a dit Mom. Elle passe un mauvais quart d'heure.

Le carillon de la porte d'entrée a retenti.

Mom a tapé dans ses mains.

– Oh! Je crois qu'on a de la visite!

Kim est apparue avec un bouquet de fleurs dans les mains.

– Joyeux anniversaire, ma p'tite réglisse rouge préférée, elle m'a dit en me serrant très fort dans ses bras.

Ça m'a fait du bien.

Jusqu'à ce que Fred demande :

– Comment ça se fait que Mathieu est pas là ?

Aucune réaction des membres de ma famille ; cela signifie que Mom leur avait annoncé la nouvelle pour éviter un incident diplomatique.

Fred, armé de sa sensibilité légendaire, n'a pas saisi que ça pourrait me blesser.

– Frédérick, l'a sermonné Mom en s'essayant. Je t'avais demandé de pas en parler.

– Ben quoi ? Il m'a dit qu'ils allaient rester amis.

– C'est pas si simple, a rétorqué Kim. Un jour, quand tu vas aimer, tu vas mieux comprendre.

– Il aime quand je lui applique de l'huile sur le corps, a dit Tintin.

Fred a bondi :

– Ah non ! Recommence pas avec ça ! C'est un réflexe, c'est pas voulu.

Le souper s'est bien déroulé, Mom a raconté (au moins pour la dixième fois) l'histoire de son accouchement. À quel point j'étais pressée de sortir et que, lorsque l'obstétricien m'a donné une petite tape pour me faire pleurer, ça m'a insultée au point de pleurer durant toute l'heure qui a suivi. Puis quand le médecin a eu le dos tourné, j'ai sauté dans les airs, ma petite jambe tendue, et je lui ai donné un méga coup de pied dans l'estomac pour me venger, ahhh ya !

(Les versions des faits de la dernière partie divergent selon la personne qui raconte, je m'en fous, je sais que je suis un genre de ninja.)

C'était un souper sympa qui m'a fait oublier ma peine.

J'ai essayé d'en savoir un peu plus sur l'activité organisée le lendemain, sans grand résultat.

Sauf Fred qui m'a dit que j'allais «capoter», que ce sera «le plus *cool party* que t'as jamais eu et que t'auras jamais».

Que le grand cric me croque, c'est quoi? Une randonnée en montgolfière? Un combat avec une ourse colérique parce que persuadée que je lui ai volé ses petits? L'essai en clinique privée d'un médicament révolutionnaire me permettant de voir au travers des vêtements – mais des dents pousseront à la place de mes ongles et vice versa (ça, c'est *weird* en titi)?

JE VEUX SAVOIR!

Et pourquoi Fred est tellement au courant? Ça me fait un peu peur, comme si Mom lui avait demandé conseil...

Pas le goût de me retrouver à faire du ski nautique sur une mer infestée de requins pendant que Fred me filme et me supplie de tomber à l'eau pour rendre la vidéo «moins plate».

(Fred a un match de lutte demain, avant l'activité de mon anniversaire, et il a trois problèmes : 1- En tant que Le Ventriloque, il n'a plus de marionnette parce que Léo-défavorisé-en-hauteur s'est senti ultra humilié par sa prestation ; 2- Il n'a plus de costume, je lui ai dit : «Tu n'as pas réalisé que c'est juste des trous dans un sac poubelle?» et il a répliqué «Merci de tuer la magie, tu viens de bousiller mon innocence» et 3- Il se bat contre le Cannibale, il a un peu peur, Mom lui dit que s'il revient avec un morceau de chair en moins, elle sera vraiment fâchée alors elle lui recommande de s'assurer que son adversaire n'a pas la rage ou un problème de gingivite.)

Après souper, Mom m'a appris qu'elle avait un cadeau pour moi, mais qu'il fallait aller le chercher.

J'ai éclaté comme un ballon rempli de confettis :

– C'est un bébé hippopotame?

– Euh, non.

– Ah. C'est quoi, alors?

– Tu vas voir, a dit Mom en enfilant son manteau.

– Allez, donne-moi un indice.

Elle s'est arrêtée pour réfléchir.

– OK, laisse-moi y penser... D'accord, voici l'indice : ce n'est *pas* un bébé hippopotame.

– Ben là, ça compte pas, je veux un autre indice!

– Un dernier, après c'est fini : c'est pas une maman hippopotame.

– Ben là, ton indice est genre trop facile : c'est un nouveau grille-pain? Genre à quatre tranches?

Mom m'a fait une grimace.

– C'est pas ça, mais tu brûles.

– «Tu brûles», t'es tellement drôle quand tu veux.

– Allez, grouille, on a rendez-vous à 20 h 30.

– «Rendez-vous»?

Kim a voulu m'éclairer:

– Ouais, toutes les trois, on s'en va se faire poser des ongles en acrylique blancs sur les orteils. Ça se passe dans un sous-sol de banlieue chez une esthéticienne trop bronzée.

– Trop bronzée? C'est peut-être Francine, mon hygiéniste dentaire? Si c'est elle, un conseil, garde ta bouche fermée, c'est une tueuse de broches.

– Hein?

J'ai compris que j'avais raconté l'anecdote sur mon blogue, mais pas à Kim.

– Laisse faire, ce serait trop long à expliquer.

– Euh, dis-moi où est ta clinique dentaire, je veux être sûre de ne jamais y mettre les pieds.

Nous sommes parties toutes les trois en direction de notre rendez-vous.

Après avoir traversé des océans infestés de sirènes *douchebags* aux verres fumés et aux pectoraux stéroïdés, des champs de marguerites carnivores et autres régions montagneuses envahies par des yétis nudistes, Mom a stationné la voiture devant un immeuble à logements.

– Bon, ben, à moins qu'un braconnier habite ce bloc, je peux dire au revoir au bébé hippo.

Mom a détaché sa ceinture de sécurité:

– Tu vas voir, c'est encore mieux qu'un bébé hippopotame.

– Je pense que dans la vie, rien ne peut battre ça.

– C'est quoi cette obsession pour cet animal? Kim a demandé. Tu sais que ça ne reste pas longtemps bébé, n'est-ce pas?

– J'ai trouvé un moyen. Tu savais que certaines Chinoises se bandaient les pieds pour les garder petits, n'est-ce pas?

– J'ai deviné ton idée et c'est certainement un cas de signalement à la Société protectrice des animaux.

– Mais non, il ne va pas souffrir. Ça va se faire graduellement. En lui mettant du ruban tout autour du corps, il va garder sa taille initiale. Va falloir serrer fort, mais il va s'habituer.

– Avec cette idée *nawak*, tu me fais penser à ton frère. Et ce n'est pas un compliment.

– Allez, les filles, assez divagué, c'est le temps de passer aux choses sérieuses.

Jamais en 100 ans je n'aurais pu deviner avec qui on avait rendez-vous.

Mom avait raison : c'est mieux qu'un bébé hippo.

Beaucoup mieux. ☺

(...)

Je viens de m'endormir devant mon ordi!

La suite demain.

> **Cruelle solitude!**

C'est plus difficile, ce matin. Je pleure depuis une demi-heure sans pouvoir m'arrêter.

Je suis allée sur la page Fesse-de-bouc où Mathieu a officialisé hier soir le nouveau couple qu'il forme avec Valentine.

Il a récolté plus de 30 «J'aime» et presque autant de commentaires. Tout le monde est content pour lui. ☹

Et la Valentine lui a laissé un mot sur son mur disant à quel point elle l'aime, que c'est l'homme de sa vie et bla-bla-bla.

Personne ne se demande comment je vais, moi.

Fait suer.

Me sens une moins que rien.

J'ai commencé à angoisser quand je me suis couchée hier soir, alors que j'étais seule avec moi-même.

J'ai pensé à ce qui s'était passé et ouf, quelle torture!

J'ai essayé de me changer les idées, genre compter les moutons qui sautent par-dessus une clôture, mais ils avaient tous la face de Valentine et bêlaient lamentablement.

Ai-je besoin de dire que j'ai dormi comme un bébé au bedon bien rempli de lait?

Misère, je suis tellement ironique quand je veux.

J'ai plutôt dormi comme un bébé qui a des coliques parce qu'avant le dodo, on lui a fait avaler un mélange de vinaigre et de bicarbonate de soude.

Je me sens rejetée, c'est un sentiment vraiment pénible à vivre.

Ça vient chercher la petite fille en moi, la petite fille de cinq ans avec qui personne ne veut s'amuser, même pas le vieux labrador qui passe ses journées couché sur son coussin et qui a trouvé la force de la fuir quand elle s'approche, lui dont les hanches le font terriblement souffrir.

Hier soir, Grand-Papi m'a prise à part et m'a dit de ne pas m'en faire, que je vais m'en sortir, que je suis une super fille et que j'aurai l'occasion de rencontrer plein d'autres gars, qu'il ne faut surtout pas que je me laisse abattre et bla-bla-bla.

Il est gentil, Grand-Papi. Je l'adore. Mais il ne comprend juste pas ce que je vis.

Mathieu, c'est pas «d'autres gars». C'est Mathieu. Il n'y en a qu'un seul comme lui.

C'était pas un gars parfait, mais je l'aimais. Et je l'aime encore, malgré ce qu'il m'a fait.

Je voudrais le détester, le haïr au point de passer une photo de lui à la scie mécanique tout en poussant des rires démoniaques, mais je ne peux juste pas. 😞

Si ce n'était que de Mathieu...

J'ai eu droit à un «deux pour un» de rejets.

Valentine, je la considérais comme une amie.

Je la trouvais chouette.

Elle a usé de son charme pour détecter mes points faibles et pour me voler ce que j'aime.

Le pire, c'est que je ne me doutais de rien.

Mon estime de moi-même côtoie présentement des rats d'égouts, des alligators et autres boas constrictor relâchés par leur maître parce qu'ils ont étranglé grand-maman.

Et il y a pire, une de ces bêtes féroces veut dévorer mon estime de moi-même parce qu'elle fait trop pitié.

Bref, je me sens comme un résidu de *schnoute*.

(...)

Tout ne va pas mal. Heureusement !

Aujourd'hui, c'est l'activité pour souligner mon anniversaire.

On part à 15 heures cet après-midi.

À 13 heures, mon frère a un match de lutte contre le Cannibale.

Je n'y serai pas, j'ai une mission : peaufiner *Les têtes réduites*, mon manuscrit de roman d'horreur.

J'ai eu une autre idée, une histoire que je vais appeler *Harcelée*, mais avant de l'entamer, je dois mettre un point final au premier.

Pourquoi aujourd'hui ?

À cause du «rendez-vous» d'hier soir. 😑

Dire que Mom me réservait une surprise est un euphémisme.

Elle m'a fait rencontrer Madame Annie, une dame avec un accent belge qui a deux petits chiens trop mignons.

Cette gentille dame est directrice d'une maison d'édition et elle est prête à lire mon manuscrit pour me dire ce qu'elle en pense !

Quand Mom m'a dit qui elle était, j'ai ouvert tellement grandes mes paupières que j'ai eu peur d'échapper mes yeux.

C'est une amie infirmière de l'hôpital où Mom travaille qui connaît Madame Annie. Mom lui a demandé si elle pouvait entrer en contact avec elle et... voilà !

Dans la démarche qu'un auteur doit suivre afin de faire publier un roman, l'étape la plus pénible et la plus frustrante est de dénicher un éditeur.

Moins de 1 % des manuscrits présentés aux éditeurs sont publiés.

Parmi les trucs qu'on peut utiliser, le premier est de se démarquer.

Les éditeurs reçoivent des tonnes de manuscrits. Comment faire pour que mon chef-d'œuvre ressorte du lot ?

Il y a la qualité de l'histoire. Comme le dit Madame Annie, « rien n'est plus convaincant qu'une bonne histoire, c'est ce que tous les éditeurs recherchent ».

Même si le manuscrit est emballé dans du papier d'or et orné d'un ruban fait de diamants, même si une fanfare avec un dodu qui joue du tambour se fait entendre chaque fois qu'on tourne la page, si l'histoire est nulle, les chances qu'il soit un jour publié sont nulles.

D'autres critères de sélection entrent en jeu, par exemple les envois liés au titre de l'ouvrage.

Ajouter dans l'enveloppe d'un manuscrit pour enfants intitulé *Bzzz* des dizaines de guêpes qui laisseront des souvenirs impérissables aux employés de la maison d'édition est une mauvaise idée.

Parfumer les pages n'est pas recommandé non plus, parce que, qui voudrait d'un manuscrit qui donne la nausée au lecteur avant même qu'il n'entame sa lecture?

(Sans compter que certaines maisons d'édition n'acceptent à présent que des documents numériques; si quelqu'un sait comment parfumer un courriel, prière de m'en faire part au bloguedenamaste@gmail.com, je veux essayer ça.)

Autre envoi à éviter, quand on a écrit un roman policier, c'est très malpoli d'accompagner le manuscrit d'une balle de fusil, d'une arme chargée ou d'une main tranchée.

Il faut rester simple.

Une lettre de présentation sympathique, maximum de 250 mots, pas un roman, personne ne s'intéresse à nos exploits au jeu de poches ou à nos problèmes d'hémorroïdes (ben, euh, pas moi, je parle des autres écrivains en devenir).

Ah oui, important, il faut aussi rester modeste.

Pas question de prétendre que ce que l'éditeur tient entre les mains est une histoire révolutionnaire, d'ajouter qu'on a senti en l'écrivant qu'on était un grand auteur et que si la maison d'édition ne se hâte pas de la publier, elle va commettre la plus grande erreur de l'Histoire depuis qu'en 1534, un prêtre accompagnant Jacques Cartier s'est essuyé les mains sur la robe de cérémonie d'un Amérindien en croyant qu'il s'agissait d'un torchon à vaisselle.

Un moyen de se démarquer et le plus efficace : avoir un contact dans une maison d'édition.

De cette façon, on sait qui harceler afin de savoir si oui ou non le chef-d'œuvre sera publié. 😛

Mais nooon. Personne ne va harceler personne.

OK, le meilleur moyen pour qu'on prenne au sérieux notre manuscrit, c'est d'avoir un contact dans une maison d'édition. Comment on y arrive ?

On envoie un courriel à l'éditeur et on lui demande s'il veut être notre ami ?

On l'ajoute à notre liste de contacts dans notre compte de courriels et le tour est joué ?

On se jette sur lui sur un trottoir, puis on s'excuse par la suite en justifiant son geste ainsi : on prétend que sans cette brusque intervention, il était sur le point de recevoir sur la tête une bombe – une vraie qui explose et crée un champignon nucléaire – venant d'un oiseau vengeur qui l'a ciblé en apprenant que l'éditeur, chaque soir, pose sa tête sur un oreiller de plumes ?

J'ai réfléchi longtemps à cette tactique et je suis arrivée à la conclusion qu'il vaudrait mieux la laisser tomber.

Jusqu'à hier soir.

Madame Annie attend mon manuscrit avant midi. Elle m'a dit qu'elle allait le lire cet après-midi.

Je suis *full* nerveuse. 😕

Et si c'était nul ? Si Kim m'avait dit que c'était bon juste pour ne pas me décevoir ?

Et si Madame Annie, après l'avoir lu, faisait un infarctus parce que c'est trop nul ? Et si elle perdait la tête parce que mon histoire est tellement toxique qu'elle a détruit une partie de son cerveau ?

J'ai demandé à Mom si je pouvais avoir plus de temps, question de me relire une fois ou deux ou 50, mais non, faut que ça se fasse ce matin.

Arghhh.

(...)

Zoukini ! Je viens d'envoyer mon manuscrit à Madame Annie !

Je ne peux plus reculer. ☺

Je suis excitée, mais en même temps, j'ai peur.

J'ai exactement les mêmes sentiments à l'égard de l'activité de cet après-midi.

Qu'est-ce que ça peut bien être ?

* *

BYE BYE, LA SOLITUDE

Marre d'être seule? Nous possédons la solution
à votre problème. Les Laboratoires Camelote
ont développé une nouvelle molécule qui active
la zone cérébrale liée à la sociabilité.
Une heure après l'absorption du comprimé,
vous imaginerez plein d'amis qui feront de vous
la personne la plus populaire de votre tête.

www.ilsepeutaussiquedesmonstresapparaissent.com

* *

Cannibale !

Namxox

Publié le 17 janvier à 19 h 03
Humeur : Dépassée

> **Pour une surprise, c'en était toute une**
NOUVELLE DE DERNIÈRE MINUTE!

Le blogue de Namasté vient d'apprendre de source sûre que Fred, dit Le Ventriloque, prend sa retraite de la lutte après une prodigieuse carrière qui aura duré en tout un peu moins de dix jours.

Considérant que Fred a une propension à mettre fin à ses projets de manière catastrophique (blessure sérieuse, explosion du four à micro-ondes et bouts de chair coincés dans le tuyau de l'aspirateur), c'est un exploit qu'il se soit sorti de cette aventure vivant.

Selon Fred, il quitte le monde de la lutte parce que ses camarades de travail sont, et je cite, «une gang de maudits malades dans la tête».

Effectivement, Fred aura survécu cet après-midi à un incident qu'il n'est pas prêt d'oublier: «J'affrontais le Cannibale, tout se passait bien jusqu'à ce qu'il me fasse sa prise finale intitulée Buffet à volonté. C'est alors que mon adversaire s'est mis à me manger les cheveux. Il n'a pas fait semblant, le malade. Il a pris une grosse bouchée. Regarde.»

Effectivement, j'ai vu sur son crâne une plaque de peau rouge, abîmée et vide de cheveux.

Interrogé sur l'absence de ses sourcils, à savoir si elle était aussi l'œuvre du Cannibale, Fred a affirmé : « Ça n'a rien à voir, je préfère ne pas en parler. »

Le blogue de Namasté, ne reculant devant rien, a contacté la LLL (Ligue des lutteurs lunatiques) afin d'obtenir ses commentaires. Le président-directeur général, Monsieur Sandwich, a affirmé que la présence de sourcils ne fait pas partie des critères de sélection.

Quant au Cannibale, il n'était pas disponible pour une entrevue. Au moment de mettre sous presse, il était à l'hôpital afin qu'on stabilise le taux de mauvais cholestérol dans son sang, hausse subite due à l'ingestion de cheveux particulièrement gras.

On craint pour sa vie.

(...)

Madame Annie ne m'a toujours pas donné de nouvelles.

Je suis sûre que mon manuscrit a provoqué chez elle un accident vasculaire cérébral ou une éruption de boutons mauves sur les bras et dans le dos.

Mom me dit d'être patiente. Facile à dire !

Arghhh !

(...)

Abordons l'activité de cet après-midi.

Je devrais plutôt dire LES activités. Il y en avait trois.

Et comme je m'y attendais (moi et mon cinquième et demi sens !), c'est Fred qui les a chaudement suggérées à Mom.

Pourquoi?

Parce qu'il paraît que je lui ai souvent parlé des rêves que je voudrais réaliser, que ma timidité m'empêche de partager avec ma mère parce qu'ils sont «non traditionnels» au point où ça pourrait «mettre en péril ma féminité et ma relation avec Mom».

Ouatedephoque! 😮

En plus d'être au courant des propos mensongers de mon frère, je me suis mis dans la tête qu'on allait, en famille, dans un spa se faire masser et prendre des bains de boue.

J'ai donc pris soin de me faire une beauté afin de remercier ma famille de l'attention qu'elle me porte.

J'ai enfilé la plus belle de mes robes (la seule qui ne me donne pas l'air de porter une poche de patates), je me suis maquillée, j'ai tressé mes cheveux et j'ai apporté mes souliers à talons hauts (d'accord, sont pas si hauts, je ne suis pas encore rendue à ce point de ma vie où je ressens un urgent besoin de me tordre une cheville devant des inconnus qui vont me pointer du doigt en riant).

Avant de partir, je me suis regardée dans le miroir et me suis trouvée pas mal jolie.

Ça, ça remonte le moral!

Mom, Pop et Fred m'ont accompagnée.

Kim et Nath nous ont suivis dans l'auto de Grand-Papi.

PERSONNE ne m'a dit que j'étais habillée trop chic pour ce qu'on s'apprêtait à faire.

Mom, Kim et Nath ont failli le faire, mais mon frère les a prévenues qu'elles auraient ainsi menacé «de désamorcer la surprise et d'amoindrir le plaisir» que j'allais avoir.

Me semble.

J'aurais dû me douter que je n'étais pas vêtue adéquatement quand j'ai vu Pop avec ses jeans troués, Mom avec son t-shirt taché de peinture et Fred, euh, habillé comme d'habitude, donc tout croche.

En mettant les pieds dans l'auto, Fred m'a enfoui la tête dans une taie d'oreiller, celle qui recouvre un des coussins pourris qui se trouvent sur le canapé tout aussi pourri de notre sous-sol.

– Est-ce vraiment nécessaire? j'ai demandé. J'ai l'impression d'être kidnappée. Si t'étais pas là, Mom, je suis sûre que Fred pointerait un revolver dans ma direction en fumant un cigare.

– Voyons, Frédérick ne ferait jamais ça. Il sait que son père ne le laisserait pas fumer dans son auto.

– Combien gagez-vous? Votre fils a une vie secrète, madame. Faite de fantômes, de démons et d'enfants qui font pipi dans une piscine malgré une interdiction formelle.

J'ai entendu Fred se défendre:

– Exagère pas.

J'ai reniflé trois fois.

– Vous auriez pas pu laver la taie d'oreiller avant de me la mettre sur la tête? Elle sent la sueur d'oreille.

Le voyage a duré deux éternités (Pop s'est trompé de chemin) et j'étais vraiment tourmentée par l'état de ma coiffure une fois qu'on allait retirer la taie.

Enfin, l'auto s'est arrêtée.

– On est arrivés, a dit Mom. Ça a l'air super, comme endroit.

Oh, oh. Quand Mom utilise le mot «super», c'est mauvais signe. ☺

Je n'aime jamais rien de ce qu'elle qualifie de «super».

La dernière fois, c'était à l'aéroport dans un magasin de souvenirs, elle m'a montré une cuillère décorative avec, au bout de la poignée, une tête de singe (ou d'un ancien premier ministre).

J'ai levé la taie, juste assez pour voir.

Le temps que mes yeux s'ajustent, j'ai vu devant moi une enseigne au néon «Salon d'esthétique les velues».

– On va se faire enlever les points noirs en famille? *Weird.*

Fred m'a donné un coup de coude.

– Ark, t'es dégueu. Ben non, niaiseuse, c'est l'autre bord.

J'ai tourné la tête.

En constatant ce qui se trouvait devant moi, j'ai avalé ma salive en grimaçant. J'ai gloussé :

– Au fond, je pense que je préférerais un récurage familial de pores.

(...)

Fred a besoin de l'ordi.

Depuis qu'il a abandonné la lutte «professionnelle», il prétend avoir besoin de relever de nouveaux défis.

Ce Fred, je lui en dois une après ce qu'il m'a fait subir cet après-midi...

T'arrêtes, sinon...

Namxox

> Comme une mèche qui perce mon cœur

Je devais raconter le reste de mon après-midi, mais je n'ai pas le cœur à ça.

Je viens de passer quelque temps sur Fesse-de-bouc.

Je pense que Valentine a téléchargé plus de 100 photos de Mathieu. Tous les deux qui rient et/ou sont collés et/ou s'embrassent et/ou sont emboîtés l'un dans l'autre comme s'ils jouaient au Tetris avec leurs membres.

Elle ose l'appeler «Matou». C'est moi qui lui ai donné ce surnom, elle ne respecte pas mon droit d'auteur.

Ça me fait tellement mal de regarder ces photos-là.

Mais en même temps, je ne peux comme pas m'en empêcher.

(Comme par magie, Valentine me permet de nouveau d'accéder à sa fiche. Elle le fait exprès pour que j'aille constater par moi-même à quel point ils sont heureux et amoureux. Le pire, c'est que je l'ai fait!)

Je n'aurais qu'à retirer Mathieu et Valentine de ma liste «d'amis», mais je ne pourrais plus savoir ce qui se passe dans leur vie!

Ça me rend folle.

Quand on a mal quelque part, on prend un antidouleur et ça passe. Ou on se rend chez le médecin pour se faire retirer le clou de dix centimètres qu'on s'est planté dans le coccyx.

Qu'est-ce qu'on fait quand on a mal à l'âme?

Comment on procède pour moins souffrir?

J'ai cherché sur le Net et les seules solutions que des internautes ont trouvées ont des effets secondaires indésirables comme se saouler jusqu'à perdre conscience, se droguer jusqu'à ce qu'on se réveille en prison avec le petit doigt de la main droite en moins (!) ou se pogner le premier gars venu, lui déclarer son amour éternel pour réaliser dix minutes plus tard que c'est le roi des sacs de douche (!) qu'on ne toucherait pas avec un bâton, même sous la torture.

Je ne suis pas *si* désespérée (quoique...).

Mais sérieux, je n'ai jamais eu aussi mal de ma vie.

Cette peine d'amour, c'est comme une bombe atomique qui aurait implosé dans mon âme.

Tout a été anéanti. Il ne reste même pas un brin d'herbe debout.

Je me demande si un jour je vais redevenir comme avant.

Ça m'oppresse tellement que, des fois, j'ai de la misère à respirer.

Plusieurs filles sur les forums de discussion affirment que le temps guérit les blessures, même les plus vilaines. Et qu'un jour, je me souviendrai de mon chagrin avec un sourire en coin.

C'est quand, ce jour? Demain? Dans un mois? Dans dix ans?

Parce que présentement, la seule manière de retrouver un semblant de sourire, ce serait qu'une réglisse rouge géante entre dans ma chambre en sautillant dans le but de me faire un câlin afin de soulager ma peine.

Et ce ne serait pas un sourire de bonheur, mais plutôt de terreur.

(...)

Je peux dire que c'est ma deuxième peine d'amour; la première, c'était avec Zac.

Cependant, c'est totalement différent.

Zac est mort tragiquement à 13 ans. Il a quitté tout le monde en même temps.

Tous ses proches étaient ravagés de chagrin.

Dans le cas de Mathieu, il n'y a que moi qui suis meurtrie, je ne peux partager ma peine avec personne.

Je me rappelle quand Kim a cassé la première fois avec Nath. Je lui ai dit : «Ça va passer, tu vas voir, tu iras mieux bientôt, t'es pas la première à qui ça arrive, on n'en meurt pas et bla-bla-bla.» Je lui ai sorti tous les clichés inimaginables.

Pfff... Je ne savais tellement pas de quoi je parlais !

C'est sans compter que mes excès d'imagination me jouent encore des tours.

C'est pratique pour inventer des histoires, un esprit fertile, mais c'est aussi une malédiction.

J'imagine plein de choses qui se passent entre Mathieu et Valentine.

Je les vois s'embrasser et se toucher, et ça me donne des frissons de tristesse.

J'ai pris conscience tout à l'heure qu'en passant du temps à regarder les profils de Valentine et de Mathieu, j'agis comme une voyeuse.

Heureusement, ils ignorent que je suis allée sur leur page, je passerais pour l'altesse des perdantes. (J'ai entendu parler d'applications capables de révéler qui regarde une page et combien de fois, mais ce ne sont que des arnaques, je sais, j'en ai fait l'essai, je me suis ramassée avec un tas de cochonneries sur mon ordi, j'ai mis ça sur le dos de Fred, hé, hé, hé, que je suis méchante. ☹)

(...)

Tout m'énerve ce soir, même le tic-tac de mon réveille-matin.

J'ai pointé mon doigt vers lui et je lui ai dit de cesser ses borborygmes, sinon je vais mettre fin à sa vie peinarde d'agresseur matinal et je vais l'envoyer en mission-suicide faire un duo explosif avec des bâtons de dynamite.

(Borborygmes : bruits qui viennent du ventre ; quand ça m'arrive, je soupçonne que c'est le chant d'amour de mon nombril. Pour en avoir le cœur net, faudrait que j'installe une caméra de sécurité ou un système ingénieux de miroirs attachés à une casquette qui me permettrait de voir d'un mouvement d'yeux ce qu'il fait, je devrais plus m'intéresser à lui, depuis ma naissance, il a été délaissé.)

Mais ce qui m'énerve encore plus ce soir, c'est Fesse-de-bouc.

En fait, pas Fesse-de-bouc lui-même, mais les gens qui s'y trouvent.

Voici les principaux irritants relevés (pas nécessairement en ordre d'irritation) :

● Les demandes d'amitié *ouatedephoque*

À l'école, les concours de celui ou celle qui aura le plus d'amis font fureur. Là, faut s'entendre sur la définition d'amis. À mon sens, un ami est quelqu'un qui est là pour toi dans les bons et les moins bons moments de ta vie.

Sauf que si j'appliquais cette notion à Fesse-de-bouc, j'en aurais genre une : Kim. Peut-être Nath. Les autres, ce sont plutôt des connaissances.

J'ai présentement 33 «amis». Kim en a 722. C'est la présidente du comité étudiant, c'est normal. Est-ce qu'elle les connaît tous ? Absolument pas.

Perso, quand Roger Lesdentspourries me fait une demande d'amitié, je la refuse. Parce que je ne le connais pas. Et parce qu'il a le visage d'un tueur en série.

Qu'est-ce qu'il me veut ? Moi, j'accepte les demandes d'amitié de gens que je CONNAIS.

Je veux pas qu'un psychopathe puisse accéder à mes informations !

Pourquoi un mec d'Afrique voudrait devenir mon ami ? Parce que je suis née avec un utérus ? Désolée, c'est pas une bonne raison.

Exception qui confirme la règle : j'ai accepté Mohammed Al-Bahareth parce que sur sa photo de profil, il fait entrer un serpent par son nez et le fait sortir par sa bouche. Ha! Ha! Ha! Sapré Mo!

❀ Les photos prises en face d'un miroir avec un téléphone, je les haïs!

La première qui a eu cette idée, c'était original. La deuxième, c'est une copieuse. Là, il faudrait que les moutons décrochent.

Le pire, ce n'est pas le modèle, c'est ce qui l'entoure.

Je ne veux pas voir ta chambre laide. Je ne veux pas voir tes bobettes traîner sur le plancher. Je ne veux pas voir que tu n'as pas fait ton lit. Je ne veux pas voir ton chat vomir une boule de poils sur ton oreiller.

Diantre, dis-moi ce que tu fais avec une lampe en forme de clown qui tient des ballons sur ta table de chevet? Débarrasse-toi de ça, et vite!

J'hallucine ou tu dors encore avec une doudou?

❀ Le doigt d'honneur

Ohhhh! Quel rebelle tu es! Tu fais un *fuck you* au monde entier! Tu dois avoir manqué d'amour quand tu étais petit.

C'est quoi ton problème, révolutionnaire à deux sous? Tu as été élevé par des cochons?

❀ Les chaînes de messages, je les haïs!

Genre «si tu ne cliques pas sur J'aime, un fantôme va apparaître cette nuit» ou «si tu ne laisses pas un commentaire, tu vas te coucher sur un oreiller recouvert de vomi de chat».

Parce que les esprits consultent régulièrement les réseaux sociaux pour s'assurer que leurs menaces fonctionnent?

🌸 Les invitations à des jeux débiles

Non, je ne veux pas planter de graines de carotte dans ton jardin! Et non, je ne veux pas t'aider à ramasser des pièces d'or pour que tu puisses te construire un bateau pirate.

De toute façon, laisse-moi te dire, ma fille, que tu fais dur avec un cache-œil, une barbe, un crochet à la place d'une main et une bouteille de rhum dans l'autre. C'est pas trop ton style.

🌸 Les filles qui veulent montrer qu'elles ont survécu à leur puberté

Tu as une craque de boules? Bravo. Pas moi. On passe au sujet suivant.

Sans blague, et cela dit sans jalousie (ou presque), c'est vulgaire.

Est-ce que je te montre mon cerveau parce que je suis intelligente? Ben c'est ça. Couvre-toi, tes seins vont attraper le rhume.

🌸 LES MAJUSCULES

PARCE QUE CE QUE J'AI À DIRE EST TRÈS IMPORTANT ET DOIT ÊTRE LU PAR TOUS ET PAR TOUTES, C'EST POUR ÇA QUE J'ABUSE DES MAJUSCULES, ATTENTION, SE METTRE DE L'ANTISUDORIFIQUE PEUT DONNER LE CANCER DU SEIN, PARTAGE CETTE INFORMATION AVEC TOUS TES CONTACTS, MÊME SI JE PUE, ALLEZ-VOUS M'AIMER QUAND MÊME?!

Chère, chère, chère... C'est une légende urbaine qui circule depuis 20 ans. C'est FAUX.

Avant de propager des fausses informations, pourquoi tu ne prendrais pas 0,564 seconde de ton temps pour demander à *Gougueule* ce qu'il en pense?

L'éducation, c'est la liberté!

Et tu pues déjà, soit dit en passant.

❀ Être vague dans ses statuts et le rester

Écrire : «*OMG*» ou «C'est un véritable cauchemar» ou «Je n'en reviens juste pas!» ou «LOL» ou «T'es con» ou «WTF».

Évidemment, tes amies te demandent ce qui se passe.

Et toi, cultivant ton personnage de mystérieuse, tu réponds : «Je me comprends» ou «Laisse faire» ou «Je me parlais» ou «Message privé».

Heille, je veux savoir ce qui se passe! Tu n'as pas le droit de juste nous titiller. Tu n'as juste PAS LE DROIT.

Tu voulais mon attention, je te la donne. Maintenant, assume!

(...)

Je vais arrêter pour cette nuit. Je vais sûrement en trouver d'autres.

(...)

Ouf, presque une heure du matin. Je dois aller me coucher.

T'as raison
de capoter, Ali

Namxox

> ## Beurk

Quelle journée poche.

Je me suis levée vraiment trop tard : une heure de l'après-midi !

Je déteste quand je me réveille dans l'après-midi, la journée est déjà bien entamée et j'ai l'impression d'être dans un autre fuseau horaire. 😳

J'ai trop dormi. Ce soir, je vais me coucher à une heure impossible et demain, à l'école, je serai crevée.

Pour couronner le tout, j'ai passé deux heures sur le Net à regarder des vidéos de chèvres qui font de la bicyclette.

Et j'ai trouvé ça divertissant.

(...)

Encore et toujours, un feu de forêt brûle en moi. Et les pompiers qui interviennent sont en *boxer* et ne sont armés que de fusils à eau.

Ma séparation d'avec Mathieu m'a scié les jambes et coupé le souffle.

Demain, à l'école, chanceuse comme je suis, c'est SÛR que je vais le croiser.

Et Valentine sera avec lui, lui tenant la main.

Je dois être forte.

Je dois garder la tête haute.

Je dois leur montrer qu'une Réglisse rouge ne se laisse pas abattre.

Let's go, Nam. Ça va être difficile, mais tu vas vaincre cet obstacle.

Go, go, go! 😑

Tu as le choix: tu te lamentes et tu agis comme une larve ou tu te bats.

Tu as de la peine, soit.

Maintenant, c'est le temps de te redresser, de bomber le torse et de foncer.

Mouahahagrrrgrrrshhh! (C'était un cri de guerre.)

(...)

Cette semaine, je dois mettre le point final au premier numéro officiel de *L'ÉDÉD*.

Il ne me reste plus beaucoup de collaborateurs, faudra que je fasse avec.

Si je dois écrire le journal au complet, je vais le faire.

Et pas question de laisser à quelqu'un d'autre le travail de mise en pages! Monsieur Patrick m'a dit qu'il avait eu sa leçon.

Par ailleurs, mon prof de français a discuté avec quelques-uns des démissionnaires et les raisons qu'ils donnent pour avoir abandonné le bateau sont absurdes.

Paraîtrait que je suis une marâtre avec les journalistes, que je ne me gêne pas pour les critiquer (je le fais, mais gentiment), que je suis une maniaque de l'orthographe et de la grammaire (ça, c'est un peu vrai) et qu'il m'arrive de parler toute seule quand personne ne me regarde (?).

En conclusion, les contestataires veulent plus de «liberté», ils veulent un journal qui leur ressemble.

Comme si j'allais leur imposer de faire un mensuel sur le tricot!

Je veux un journal que les élèves vont vouloir lire. Je veux des articles extravagants, qui sortent de l'ordinaire. Quelque chose qu'on ne lit nulle part ailleurs que dans *L'Écho*.

Je veux que l'élève ne sache pas à quoi s'attendre en le parcourant.

Je me fous que l'école se soit procuré un nouveau bac à recyclage ou qu'un élève ait retrouvé dans sa poutine une oreille de chimpanzé.

Je veux du fou. Je veux de l'imaginaire.

Je veux sortir du cadre habituel et explorer des continents remplis de forêts aux feuillus absurdes (oui, madame!).

Les journaux étudiants que j'ai lus sont plates. Un éditorial sur la malbouffe, une critique d'un *blockbuster*, une nouvelle sur le voyage d'un étudiant dans un verger, une autre sur un professeur qui a adopté un hamster et, nouvelle de dernière heure, disparition du hamster dans un verger, paraîtrait qu'on l'aurait vu dans une scène de film à gros budget où l'acteur principal mange des frites.

Ennuyant!

Je veux faire différent. Et comme Monsieur Patrick le dit, quand ça sort de l'ordinaire, ça fait peur.

(...)

Suite et fin des activités (oui, il y en a eu plusieurs) soulignant mon 15ᵉ anniversaire de naissance.

Après avoir cru que ma famille et moi allions, main dans la main, faire traiter nos varices en utilisant la technique de la chirurgie veineuse par endoscopie, mon frère m'a indiqué que c'était plutôt chez Ali Baba karting et compagnie que nous allions passer la fin de l'après-midi.

J'ai demandé :

– C'est quoi ça, du karting ? Est-ce que ça implique un massage aux pierres chaudes ?

Mom s'est retournée et a demandé à mon frère :

– Es-tu sûr que c'est ce qu'elle voulait ?

– Bah oui, il a répondu. C'est son rêve.

– Quelqu'un pourrait me dire ce qui m'attend ? J'angoisse.

Tintin a confirmé mes appréhensions :

– Le karting est une discipline de sport automobile exploitant des véhicules à quatre roues monoplaces dont le moteur peut générer jusqu'à 40 chevaux-vapeur.

– Est-ce que j'ai compris qu'il y avait des chevaux impliqués ? Ça, ça me va. J'aime ça, les animaux.

Mom a fixé Fred tandis qu'il baissait les yeux.

– Non, pas de chevaux. Vraiment pas. Frédérick, est-ce que c'est vraiment un de ses rêves ?

– Parles-tu du karting, Mom ? Parce que si c'est ça, j'ai fait des rêves vraiment bizarres dans ma vie, mais rien qui s'apparente de près ou de loin au karting.

– Je te jure que je l'ai déjà entendue dire qu'elle aimerait un jour en faire. Que ce serait l'aboutissement d'une vie.

J'ai senti que c'était le temps de faire preuve de solidarité filiale: pour éviter que Fred ne se fasse électrocuter par les foudres de Mom, j'ai décidé de venir en aide à mon grand frère.

– C'est peut-être parce que j'ai un jour dit que j'aimerais plus que tout prendre un bain rempli de pudding?

Fred a attrapé la perche que je lui tendais:

– Ahhh! C'est «pudding» que t'as dit. J'avais compris «karting»! Que je suis étourdi!

Tintin a failli faire dérailler mon sauvetage dramatique:

– Ça n'a pas de sens. Il aurait compris que tu voulais prendre un bain de karting?

Pas question de le laisser me décontenancer.

– Tintin, mon chou, rien n'a de sens dans ma vie. Allez, est-ce qu'on y va? J'ai tellement hâte!

Parce que je ne voulais pas créer de tension ni décevoir Mom, j'ai simulé de l'enthousiasme en jouant de la cuillère sur ma cuisse tout en me trémoussant, empruntant le rythme d'une danse super vive et super gaie à la mode aux 17e et 18e siècles, le rigodon.

Dès que Grand-Papi a stationné son automobile après avoir heurté la chaîne de trottoir et le poteau de signalisation, Kim, Nath, Fred, Tintin, Pop, Mom, Grand-Papi et moi, nous sommes entrés dans ce temple du divertissement.

Pendant que Pop confirmait notre présence, je me suis approchée de Fred:

– Tu m'en dois une. C'est ton rêve, pas le mien.

– Ouais, t'as raison. Je ne pensais jamais que Mom allait gober ça.

Est-ce que j'ai eu du plaisir? Oui, quand même. Sur une échelle de 1 à 10: 8,5.

Est-ce que je me suis humiliée? Oui, quand même. Sur une échelle de 1 à 10: 25.

Ali Baba karting et compagnie est situé dans un entrepôt qui répand une succulente odeur d'essence, de monoxyde de carbone et de transpiration provenant d'hommes bourrés de testostérone.

À l'entrée, une statue supposée représenter Ali Baba (plus connu lorsque accompagné des 40 voleurs) tient dans ses mains une enseigne: «Joyeux anniversaire, Namaster».
😲

Oui, Namasté avec un «er» à la fin. Comme s'ils avaient accordé mon nom à l'infinitif. Faut le faire.

L'endroit a adopté le concept des *Mille et une nuits* (même si les péripéties d'Ali Baba n'en font pas officiellement partie, mais ça, c'est une autre histoire).

Le récit: Ali Baba découvre une caverne contenant un trésor. Pour ouvrir la porte, il doit dire «Sésame, ouvre-toi», information qu'il a obtenue en espionnant les 40 voleurs.

Ces derniers découvrent qu'Ali Baba les a volés. Ils s'approchent de sa maison en se cachant dans des jarres. Ali Baba, futé comme un furet, verse de l'huile bouillante dans chacun des contenants.

Les voleurs meurent frits, Ali Baba les dévore (mais nooon) et ils vivent heureux et ont plusieurs enfants (à peu près).

J'ai fait une recherche sur le Net et Ali Baba est représenté le plus souvent comme un personnage barbu, vêtu d'un pantalon ample, d'une chemise, d'un gilet, d'un turban, de chaussures pointues et d'une ceinture à laquelle est fixée une dague. Bref, un costume de culture arabe.

Le mannequin qui me souhaite un joyeux anniversaire? Vêtu comme un coureur des bois que pas un insecte n'ose piquer de peur que ses pattes restent collées sur sa peau. Sur sa tête, un torchon qui sert à essuyer la vaisselle (je le sais, on en a un identique à la maison, mais en moins taché). Des pantoufles aux pieds en forme de bananes et, à la ceinture, un couteau à beurre.

Cependant, c'est sa tête qui m'a effarouchée.

Des yeux dessinés au marqueur qui regardent dans deux sens différents.

Un nez à moitié arraché.

Un teint beige verdâtre.

Des sourcils fabriqués avec des poils de chien (confirmé par l'un des employés).

Ses cheveux et sa barbe, Tintin et Fred ont affirmé qu'ils sont faits de poils pubiens du monstre du loch Ness, ce qui a fait pousser à Mom un «Franchement!» bien senti.

Parce que tout le monde sait que le monstre du loch Ness, c'est l'épilation intégrale qui l'intéresse.

Et que dire du sourire d'Ali Baba? Ouf... Ne serait-ce que des grumeaux de rouge à lèvres aux commissures de sa bouche, il serait normal.

J'ai pris une photo avec Ali Baba, question d'immortaliser mon effarement. ☺

Ali Baba m'a permis de m'adonner à quatre activités que je n'avais jamais faites auparavant, activités qui, il va sans dire, ont élevé mon âme à un niveau jamais atteint par un être humain.

Je vais en parler plus tard parce que ça fait au moins 50 fois qu'on m'appelle pour aller souper et que je crie «minuuute»!

La «minuuuute» est écoulée depuis une demi-heure.

* *

VICTIMES D'ALI BABA KARTING

Nous sommes une firme d'avocats à la recherche de clients d'Ali Baba karting qui ont éprouvé des ennuis de santé après avoir fréquenté les lieux. Le haut taux de testostérone combiné au monoxyde de carbone mesuré dans l'air aurait provoqué l'apparition chez des enfants et des femmes d'un duvet sous le nez, d'une voix grave, d'accès d'agressivité et d'une propension à installer sur de vieilles automobiles déglinguées de gros silencieux afin de simuler la virilité qu'ils n'ont pas.

www.pasdillusionasefaireonvagardertoutlargent.com

* *

> Une autre étape de franchie

Voilà, c'est fait : j'ai éliminé Valentine et Mathieu de mes amis dans Fesse-de-bouc.

Je me sens un peu mieux... Il me semble. ☺

Aucune raison de se faire du mal, n'est-ce pas ?

Je vais me préoccuper de ma vie, pas de la leur.

Je regarde vers l'avant et je me dis que le meilleur est à venir.

Restera l'épreuve de les croiser en gardant la tête haute. Chaque chose en son temps, un jour à la fois et je traverserai la rivière quand je serai devant le pont.

Bon, c'est fini les clichés pour ce soir. Hé, hé...

(...)

Je viens de commencer un article vraiment malade mental pour *L'Écho*. C'est complètement délirant. Copié-collé :

Introduction d'une nouvelle méthode de punition à l'école

Bientôt, le directeur de notre école pourra utiliser un nouvel outil pour sévir contre des élèves turbulents : le pistolet à impulsion électrique.

Effectivement, à compter du 1er février, Monsieur M. parcourra les corridors de l'école armé d'un *foudroyeur*.

Lorsqu'on appuie sur la détente, l'arme projette deux dards qui peuvent générer des dizaines de milliers de volts.

L'effet est immédiat sur le délinquant: pendant que le fautif émet des cris de douleur, son corps se raidit et il s'effondre sur le sol, paralysé.

«C'est garanti, l'élève va passer les pires cinq secondes de sa vie, explique Monsieur M. à la représentante de *L'ÉDÉD* en ricanant. On compte également sur l'effet dissuasif de l'arme. Nous croyons que les personnes qui auront assisté à l'électrocution en parleront à leurs amis, qui se tiendront tranquilles. Je l'ai essayé sur un poulet mort et l'effet est assez saisissant.»

Au sujet des morts que le foudroyeur aurait provoquées, Monsieur M. se fait rassurant: «Nos élèves sont jeunes et en santé. Ils peuvent en prendre. Il est clair, cependant, qu'on tentera d'épargner les étudiants handicapés ou qui portent des broches.»

Ainsi, après le local de réflexion Le Mirage, la copie de la définition du mot «respect» dans le dictionnaire, les retenues et les suspensions, notre école fait preuve d'avant-gardisme en adoptant une nouvelle manière de discipliner ses élèves.

C'est débile, non? Ha! Ha! Ha! ☻ J'aime ça, les nouvelles absurdes!

(...)

Toujours pas de réponse de Madame Annie au sujet de mon manuscrit.

Je me ronge maintenant les ongles d'orteils, les positions que je prends pour y parvenir sont *tellement* gracieuses.

(...)

Allez-vous enfin me laisser terminer mes péripéties chez Ali Baba karting et compagnie?

Merci.

J'ai traversé quatre éprouvantes épreuves, cinq si on compte celle de manger un hot-dog à la cantine.

(À noter : faut être indulgent au sujet de mes performances, je portais une robe et des collants, ce qui est probablement le pire accoutrement en la circonstance, hormis l'habit d'astronaute. Oui, la rumeur est vraie, j'ai refusé l'aide d'un employé d'Ali Baba karting et compagnie qui désirait me prêter les vêtements du mannequin, je ne voulais pas sortir de là avec la lèpre ou une maladie qui m'aurait donné un monosourcil.)

Première épreuve : le taureau mécanique

J'avais déjà vu sur le Net des vidéos hilarantes de grosses personnes en train de se faire éjecter par cet engin de la mort qui simule les mouvements d'un taureau en colère.

Heureusement qu'il n'avait pas de cornes parce que je me serais retrouvée avec quelques *piercings* sur le corps.

Mon meilleur temps est de cinq secondes.

Dès que la machine se secouait un peu trop ardemment, je paniquais et me jetais par terre.

Le meilleur de la famille? Tintin avec plus de deux minutes. On a arrêté quand Mom s'est aperçue qu'il était inconscient et qu'il n'aurait plus été assis dans le kart si un de ses pieds n'avait pas été coincé dans l'étrier.

Échelle de plaisir: 6 sur 10

Cris poussés pour aucune raison: 3

Niveau de destruction de mon collant: 15 %

Fait saillant: Le soutien-gorge de Nath s'est retrouvé dans son dos. 😄

Deuxième épreuve: attrapé du cochon glissant

Dans un enclos, on lance un pauvre petit cochon rose enrobé de gelée de pétrole que le participant doit essayer d'attraper le plus rapidement possible.

Paraît que c'est une des «surprises» qu'Ali Baba réserve à ses clients une fois de temps en temps. J'imagine qu'avant l'épreuve du cochon, c'était celle de mettre sa langue le plus longtemps possible sur une clôture électrifiée ou de procéder au lancer du nain.

Il n'y a que Pop et Fred qui ont participé à ce jeu que je trouve cruel pour le pauvre petit cochon tout rose et tout mignon.

Qu'est-ce qu'il doit raconter le soir à ses parents? Que des géants l'ont lubrifié avant de le relâcher dans une arène où d'autres géants ridicules ont tenté de l'attraper pour le mettre dans un tonneau? *Ouatedephoque.*

Ni Pop ni Fred ne sont parvenus à l'attraper. Tant mieux! Nath, Kim et moi, on prenait pour le cochon! On a même trouvé un slogan: «P'tit cochon! P'tit cochon! Montre-nous que tu sens bon!»

Je sais que ça n'a pas rapport, mais on a bien rigolé.

☺

C'est maintenant de Fred et de Pop que j'ai pitié. Parce que le cochon, à part d'avoir eu la frousse de sa vie en les voyant s'approcher de lui, tout essoufflés et la langue pendue, je pense qu'il ne sait même pas ce qu'il lui est arrivé.

Échelle de plaisir: 9 sur 10 (Lorsque Fred s'est fâché contre le cochon, il a commencé à lui donner des ordres comme si c'était un chien, Nath pense avoir vu le cochon lui faire un doigt d'honneur.)

Cris poussés sans aucune raison: 134 (par le cochon)

Niveau de destruction de mon collant: 20%, il a déchiré un peu parce que j'ai trop ri.

Fait saillant: Grand-Papi, lorsque j'ai mangé mon hot-dog, m'a dit que c'était probablement le petit cochon rose tout mignon que j'étais en train de dévorer; ça m'a comme un peu coupé l'appétit. ☹

(...)

Faut que je me prépare pour demain.

En plus, je dois aller dormir, paraît que c'est nécessaire à ma santé physique et mentale. Pfff, ces histoires de grands-mères pour nous faire peur à nous, les jeunes.

Où sont les parents
de cet enfant ?!

Namxox

> Une autre comme moi?

Je suis dans le cours de français. Par l'entremise d'une connexion Wi-Fi implantée dans mon cerveau, je mets à jour mon blogue de manière télépathique.

Mais nooon. C'est juste un garçon dans ma classe qui lit un roman de superhéros, le Fabuleux Neoman, et il peut accéder au Net de cette manière. J'ai trouvé ça *cool*, comme idée.

Ouf... Si j'avais cette faculté, je serais *tellement* toujours en train de naviguer !

Je me demande vraiment ce qu'on faisait avant Internet. Comment mes parents ont fait pour vivre sans ? Impensable.

D'ailleurs, j'ai entendu parler d'un nouveau moyen de pression CRUEL de la part des parents : tant et aussi longtemps qu'ils n'obtiennent pas ce qu'ils veulent, ils ne donnent pas le nouveau mot de passe pour accéder au routeur et à Internet. Ils peuvent le changer le nombre de fois qu'ils veulent.

Combien de parents traitent leurs enfants en esclaves ? Combien sont obligés de faire leur lit tous les matins ? De ranger leur chambre au moins une fois par semaine ? De vider le lave-vaisselle ?

Juste d'y penser, j'ai la larme à l'œil.

(...)

Pas vu Mathieu ni Valentine.

Quelques potineuses de ma classe m'ont posé des questions, j'ai dit la vérité : je ne suis plus avec Mathieu en raison de ses problèmes d'eczéma aux endroits chauds et humides comme les aisselles ou le Mexique.

Je n'ai rien fait pour atténuer leur air hébété.

Gnac, gnac, gnac.

(...)

Je suis à la bibliothèque en cours de français.

On doit faire des recherches sur le Net, je les ferai ce soir à la maison.

J'ai tellement le goût d'écrire que ça me démange. Je vais bientôt commencer un nouveau roman d'horreur. J'ai déjà le titre, il s'appellera *Harcelée*. Ne me reste plus qu'à taper 35 000 mots qui, mis les uns après les autres, vont créer une histoire palpitante. Pfff, facile !

Sans blague, c'est pas mal plus dur que je ne le pensais. Lire un roman, ça ne prend que quelques heures.

Mais en écrire un... Ouf ! C'est du travail. Chaque mot fait mal, ou presque.

J'ai dit ce matin à Monsieur Patrick que j'avais écrit un roman d'horreur, il a été impressionné.

– Bravo ! Tu es la deuxième de mes élèves qui a écrit un roman. Mais deux romans dans une année, ce n'est probablement jamais arrivé dans l'histoire de l'école.

– Je suis la deuxième ?

– Oui, une autre de mes élèves est sur le point d'être publiée.

– Vraiment?

– Oui, en troisième secondaire. C'est d'ailleurs le lancement de son roman dans quelques jours. Son éditeur joue la carte de son jeune âge. Elle donnera des entrevues à des journalistes. Premier roman publié à 14 ans, c'est un exploit.

– C'est la première fois que j'en entends parler.

– Pas la dernière. Les médias seront sur son cas pendant quelques jours.

– Quel est son nom?

– Elle s'appelle Lara. Ça te dit quelque chose?

– Non, non, je ne connais pas de Lara.

Avant de sombrer dans le sommeil, le soir, je songe à ce que ma vie pourrait être si j'étais écrivaine. Le regard envieux des autres, la popularité, les salons du livre, les séances de dédicaces, etc. Je deviendrais une sorte de vedette.

(Vendredi soir, Madame Annie, avec ses ciseaux aiguisés à la pierre de la réalité, a coupé les ailes de mes fantasmes d'adolescente candide. Être écrivain est un métier super difficile. Pas moins de 90% des auteurs ont besoin d'un autre revenu pour subvenir à leurs besoins. C'est un travail solitaire et il faut beaucoup écrire. Le salaire est lié uniquement aux ventes : si ton roman se vend beaucoup, tu auras beaucoup d'argent. S'il ne se vend pas, tu n'auras rien. Pendant les salons du livre, 95% des auteurs sont seuls à leur table, attendant qu'une personne vienne leur dire que ce qu'ils écrivent est bon. Sur un roman vendu dix dollars, supposons, le libraire reçoit quatre dollars, le distributeur deux dollars, l'éditeur trois dollars et l'auteur... ce qui reste, c'est-à-dire un dollar. 😐 Le marché est hyper compétitif et les librairies reçoivent en moyenne 100 nouveautés par mois. Ton livre restera sur ses tablettes pendant trois mois. S'il n'est pas vendu, il retournera dans une boîte poussiéreuse située dans l'allée 8, étagère 9 de l'entrepôt du distributeur. Un an plus tard, le livre sera pilonné ; un mot mystérieux pour dire « détruit ». C'est un métier qu'il faut exercer avec passion et, surtout, il ne faut jamais se décourager.)

Cela dit, tout le monde rêve de célébrité un jour ou l'autre, non ?

Et si publier un roman peut boucher un coin ou deux à Valentine, je ne m'en plaindrai pas. 😠

Et Mathieu qui va se mettre à genoux devant moi pour que je le reprenne comme mule pour transporter mon sac d'école, n'ayant pas réalisé que j'allais devenir un jour une grande écrivaine.

VENGEANCE !

Mais non, voyons. Je ne suis pas ce genre de fille.

OK. Un peu, peut-être. Mais je ne ferais pas de mal à une mouche. Je peux *songer* à l'écraser, à la faire exploser ou à la pulvériser avec un de mes coups de karaté, ah yaaa !, mais ce ne sont que des pensées.

Cette Lara qui va publier un roman avant moi décourage mes élans de grandeur. Quand ce sera mon tour, les gens seront blasés.

«Quoi, une autre élève de 15 ans qui publie un roman? Et alors? Autre chose de particulier chez elle? Est-ce qu'elle joue du piano les yeux bandés? Est-ce qu'elle a déjà gagné une médaille olympique en nage synchronisée? Tsé, quelque chose de plus impressionnant que d'avoir publié un roman?»

J'aurais voulu être la seule à avoir réalisé cet exploit!

Va falloir maintenant que je me rabatte sur autre chose pour attirer l'attention. Comme avaler des sabres ou me planter des clous dans le nez. Ou sculpter un aigle à la tronçonneuse dans un tronc d'arbre.

Fait suer.

> **Quand cela va-t-il s'arrêter?**

Je n'ai pas pu assister aux cours de l'après-midi.

Après l'heure du dîner, je suis retournée à la maison, démoralisée.

Je m'étais dit que j'allais rester forte comme un ours polaire et imperturbable comme un iceberg, même dans le cas où le plus gros paquebot du monde, réputé indestructible, me heurterait.

Ce midi, j'étais au local des Réglisses rouges, en train de parler avec une fille qui vivait des moments difficiles : une peine d'amour. Eh ben, quel hasard!

Je l'écoutais en me disant qu'elle vivait la même chose que moi : sentiment d'abandon, estime de soi en dessous de zéro, douleur diffuse et indéfinissable et pourtant bien présente, nausées et tristesse.

Pendant qu'elle pleurait sur mon épaule, je suis restée dans la peau de mon personnage de fille empathique.

Mais dès qu'elle est partie, je me suis liquéfiée de chagrin. 😞

Comme si en plus de ma peine, j'avais absorbé toute la sienne.

Il y a eu un débordement.

J'ai verrouillé la porte, éteint les lumières, je me suis assise dans un coin et j'ai pleuré.

On a cogné à quelques reprises, je n'ai pas répondu.

Puis Kim est entrée (elle a la clef). Elle a essayé de me réconforter, mais j'étais inconsolable. Je n'arrivais tout simplement pas à cesser de pleurer.

Kim est allée chercher Fred.

Il a demandé ce qui se passait.

– C'est Mathieu, a dit Kim.

– Qu'est-ce qu'il t'a fait, Nam? Tu veux que j'aille lui casser la gueule? Lui montrer qu'il n'a pas le droit de faire ça à ma p'tite sœur?

J'ai fait non de la tête. Comme si la violence était la solution à mon problème!

Fred a appelé Mom et lui a dit ce qui se passait. Grand-Papi est venu me chercher et, pendant tout le trajet de retour à la maison, il n'a pas parlé.

Il est assez sensible du cœur pour comprendre que je n'avais pas le goût. Il m'a juste tendu une réglisse rouge. Je l'ai prise, même si je n'avais vraiment pas faim.

À la maison, Mom m'attendait. Elle m'avait fait couler un bain d'eau chaude avec plein de mousse dedans.

Elle a passé une demi-heure à me brosser les cheveux, comme elle le faisait pour me calmer quand j'étais plus jeune.

– Je trouve ça dur, je lui ai dit.

– Je sais. Pleure, ma fille, si c'est la seule chose qui te fait du bien.

Et j'ai tellement pleuré que ça a presque fait déborder le bain.

Je ne sais pas si c'est vrai, mais on dit que lorsqu'une personne pleure, quand la première larme vient de l'œil droit, c'est du bonheur. Quand elle quitte l'œil gauche, c'est de la douleur.

Mon œil gauche vient de me demander une augmentation de salaire. Il trouve qu'en ce moment, en se comparant avec son camarade de droite, il est surchargé de travail. Il a raison.

Mais là, ça va mieux.

J'ai repris mes sens.

Tantôt, j'étais vraiment désespérée. J'étais persuadée que je n'allais plus jamais avoir de *chum* de ma vie et que j'allais mourir seule, les pieds rongés par des rats. Beurk!

En Chine, on appelle les femmes célibataires des «sheng nu». Ce n'est pas glorieux : ça veut dire «celle qui reste» ou «dont personne ne veut».

Est-ce que je vais devenir une «*sheng nu*»? Serai-je la dernière à rester comme quand j'étais au primaire et qu'on repêchait au ballon chasseur? Et lorsqu'on va me prendre enfin, est-ce qu'un aveugle poussera un cri de terreur en posant ses mains sur mon visage pour juger de ma beauté? (Aussi parce que je l'aurai mordu, je ne suis pas un bibelot!)

Est-ce que j'exagère? Non! 😟

Peut-être un peu. Un tout petit peu.

J'ai 15 ans, pas 45!

Et c'est quoi cette affaire de vouloir être absolument en couple? Allez, un peu d'indépendance, Namasté!

La présence d'un gars dans ta vie ne doit pas être essentielle à ton bonheur. Plus facile à écrire qu'à vivre.

Pourquoi je suis comme ça? Je n'ai pas manqué d'amour dans mon enfance. Mes parents m'ont souvent dit que j'étais belle et intelligente et que je pouvais réaliser ce que je voulais dans la vie, qu'ils allaient m'encourager à poursuivre tous mes rêves, sauf peut-être celui de devenir une danseuse de burlesque avec des pastilles sur le bout des seins.

Parlant de poitrine, j'ai lu que pour être sélectionnée parmi les danseuses du fameux cabaret parisien Crazy Horse (qui ont les totons constamment à l'air et sont considérées comme les plus *sexys* du monde, pfff), fallait qu'entre les pointes des seins des filles, il y ait 27 centimètres. Ne reculant devant aucune expérience extrême, j'ai évidemment fait le calcul sur les miens. Il a fallu que j'utilise le ruban à mesurer de Pop. Résultat: 110 centimètres! C'est pas de la troupe du Crazy Horse que je vais faire partie, mais de celle du Crazy Boobs! (Cela dit, j'ai peut-être fait une erreur technique puisque j'ai calculé le tout en passant par mon dos.)

Mais je m'égare. 😳

Je ne veux juste plus être esclave de l'amour. Je ne me reconnais pas et ça me fait peur.

Je suis une fille libre et insoumise (mettons). Un animal sauvage (mettons aussi). Grrr. Et je veux le rester. Oui à l'amour, non aux chaînes qui viennent avec. Et non aux gaz de schiste.

* *

BESOIN D'ARGENT POUR TES ÉTUDES?

Nous offrons un salaire minable et des avantages sociaux inexistants. L'environnement est rempli de ploucs qui vous considèrent comme des morceaux de viande et vous traiteront comme tels. Avec un peu de malchance, vous sombrerez dans l'enfer de la drogue et vous vous réveillerez un matin dans un bain d'eau glacée avec un rein en moins et, encore plus horrible, avec des cheveux style coupe Longueuil. Les études? Pfff, ça ne sert à rien!

www.argentvitefaitvieviteruinee.com

* *

Y'a des morceaux de
mon coeur là-d'dans

Namxox

> De meilleure humeur

La crise est passée.

Mom dit qu'au fur et à mesure que le temps filera, ma peine d'amour fera de moins en moins mal.

À 45 ans, je devrais être rétablie. ☺

Je suis de bonne humeur !

Fred m'a encore demandé si je voulais qu'il aille « parler » à Mathieu. Parler dans le sens de lui faire regretter de m'avoir laissée.

C'est gentil de sa part, mais recourir à la violence est hors de question.

Mathieu n'a rien fait de méchant, mis à part de m'avoir arraché le cœur, de l'avoir jeté sur le sol, de l'avoir piétiné et d'avoir passé la tondeuse dessus après avoir bu ce qu'il restait de *piña colada*. ☹

(...)

J'ai repensé à cette Lara et à la parution de son roman.

C'est con que je sois jalouse d'elle.

Je sais à quel point c'est ardu d'écrire un roman, je devrais plutôt lui lever mon chapeau.

(D'ailleurs, toujours pas de nouvelles de Madame Annie au sujet de mon manuscrit, on dit « pas de nouvelles, bonnes nouvelles », mais ça dure jusqu'à quand, ce proverbe ?

Quand ça fera cinq ans que je lui aurai remis *Les têtes réduites* et qu'elle ne m'aura toujours pas rappelée, me semble que ce sera mauvais signe, non? En attendant, je vais me concentrer sur *Harcelée*, mon nouveau roman. Ça me fera penser à autre chose. De toute façon, c'est plus fort que moi, j'ai *besoin* d'écrire. Au point où à l'école, je fais semblant de taper des mots sur mon pupitre, comme s'il s'agissait d'un clavier!)

Lara, donc. J'en ai parlé à Kim, elle n'a aucune idée de qui il s'agit.

Kim connaît *tout le monde* à l'école. Sauf Lara, faut croire.

J'ai trouvé son profil Fesse-de-bouc, mais il ne dit rien, il n'y a qu'une photo d'elle avec un furet. Et elle a répondu «Cé qui Yoko Ono?» à la question: «Crois-tu que l'arrivée de Yoko Ono dans la vie de John Lennon a précipité la désintégration des Beatles?»

Merci, question ridicule, tu m'as permis de mieux connaître Lara.

J'ai eu une idée: je vais l'interviewer pour *L'Écho*. Kim lui a fait une demande d'amitié. Dès qu'elle l'aura acceptée, je lui enverrai un message.

Elle est discrète, cette Lara. Si j'étais elle, je me promènerais dans les corridors de l'école en femme-sandwich avisant toute la communauté estudiantine que le roman que j'ai écrit sera publié. Puis je hurlerais des trucs incompréhensibles dans un mégaphone, avec un gyrophare sur la tête. 😎

(...)

Voici la suite des aventures stupéfiantes de Namaster (je n'en reviens toujours pas du «er») au pays d'Ali Baba karting et compagnie.

Troisième épreuve : le *paintball*

Sur une surface remplie d'obstacles comme des tonneaux rouillés et un vieil autobus scolaire sans pneus, on doit tenter de voler le drapeau de l'équipe adverse et le rapporter à sa base en évitant toutes les balles de peinture qui sifflent aux oreilles et pincent en titi quand elles explosent sur la peau.

Même si je suis une pacifique avouée et que l'idée de tirer sur tout ce qui bouge ne m'enchante guère, je me suis bien amusée.

Pour nous protéger, on nous équipe d'un plastron, de gants, d'un masque avec visière (qui sent l'haleine de jambon cuit de la personne qui l'a porté avant) et d'un casque militaire.

Puis on nous remet un lanceur (l'arme) et des chargeurs remplis de billes de peinture. On a aussi une bonbonne de gaz carbonique branchée à l'arme.

Pop, Fred, Tintin, Nath, Kim et moi, on a formé une équipe. On jouait contre des gars qui riaient de nous au départ, probablement parce que Fred s'est retourné, a baissé son pantalon et a demandé à Tintin de lui tirer des billes sur une fesse, «pour voir si ça fait mal».

Deuuuh! 360 km/h, y'a rien là!

(Cela n'a pas empêché Fred de crier comme le p'tit cochon rose mentionné plus haut parce que Tintin avait réglé son arme en mode automatique et qu'en appuyant sur la gâchette, il en a perdu le contrôle. Résultat : alors qu'il devait atteindre Fred d'une seule bille, il lui en a envoyé 100 fois plus. Fred ressemblait ensuite à un Picasso passé au lave-linge et repassé.)

Pendant que les gars de l'autre équipe se foutaient de notre gueule, Pop préparait une stratégie. Parce que Pop, il s'y connaît, c'est un militaire. Ça, l'autre équipe l'ignorait. Hé, hé...

On les a *tellement* plantés ! Genre 10 à 2.

Échelle de plaisir : 10 sur 10

Cris poussés pour aucune raison : Pas un seul, fallait que je sois discrète comme un fromage (ça fait pas de bruit, un fromage, à moins qu'il soit *vraiment* pourri) vu que j'étais cachée et chargée de protéger notre drapeau.

Niveau de destruction de mon collant : 95 %, après la partie, je l'ai arraché et je l'ai attaché autour de ma tête.

Fait saillant : La première fois que j'ai tenu la mitraillette, je ne l'ai pas prise par le bon bout et je me suis tiré des billes de peinture sur le masque. Pour ne pas perdre la face, j'ai dit que je voulais juste voir si ça fonctionnait. 😳

Quatrième épreuve : le karting

Le pire pour la fin. J'ai haï ça. Sans blague.

Le karting, c'est comme la formule 1, mais en pas mal plus petit et avec les rondelles en moins (il y a des rondelles en F1, non ? Je suis nulle en sport).

Le but est de rouler le plus rapidement possible et de terminer la course en première place.

Quand ça arrive, Ali Baba offre une boisson gazeuse gratuite DE NOTRE CHOIX à sa cantine.

Eh bien, je n'ai pas fini première.

Pas deuxième non plus.

Ni cinquième.

Je n'ai tout simplement pas traversé le fil d'arrivée!

Pourquoi? Parce que j'ai fait sauter le moteur de ma bagnole!

On m'a offert, pour souligner mon exploit, un grand verre d'huile à patates frites.

Je n'ai pas pu y goûter, Tintin s'en est immédiatement emparé et en a badigeonné le corps de mon athlète de frère. Oui, ça lui a donné la chair de poule.

(Faut pas que j'oublie de parler de la nouvelle passion * tousse, tousse * de Fred.)

Voici tout ce qui a dérapé:

❀ Je ne comprenais pas (et ne comprends toujours pas) le principe des pédales d'accélération et de freinage. Je me trompais toujours entre les deux. C'est compliqué, conduire!

❀ Un kart, ça n'a aucune suspension. C'est pas comme quand on se balade le dimanche, les fesses bien collées à un banc rembourré. J'ai eu l'impression de recevoir une fessée.

❀ Dans les annonces de tampons, on voit des filles se baigner, faire de la gymnastique, du cheval, de la randonnée pédestre, mais jamais du karting. Pourquoi ? J'ai tellement été brassée (battue, oui !) pendant la course que j'étais sûre de moucher celui que je portais.

❀ Personne ne m'a dit qu'il fallait éviter les obstacles autour de la piste de course, comme les pneus, les ballots de foin et les préposés à la piste. J'ai foncé sur tout ce qu'il y avait devant moi. Je n'ai jamais eu le contrôle. J'ai crié au monsieur qui était coincé sous mon kart que je pensais que cette machine infernale était possédée du démon.

❀ Pour une raison que j'ignore, mon véhicule méphistophélique (de Méphistophélès, un des sept princes de l'enfer) s'est mis à rouler à reculons. Problème numéro 1 : pas facile de rouler à l'envers. Problème numéro 2 : j'étais la seule sur la piste à avoir adopté ce mode de vie excentrique. Problème numéro 3 : paraît que les karts n'ont pas la possibilité d'aller à reculons. Et qu'ils ne sont pas munis de klaxon. Si j'en avais eu un, quelques tragédies routières auraient pu être évitées. Problème numéro 4 : à un moment donné, des étincelles et des flammes ont surgi du moteur, je trouvais ça chaleureux jusqu'à que j'aperçoive des gens courir à ma suite, paniqués et armés d'extincteurs.

Échelle de plaisir : 1 sur 10

Cris poussés pour aucune raison : Tous les cris que j'ai poussés avaient une raison : la terreur.

Niveau de destruction de mon collant : 100 %, je ne sais plus où il est, il est disparu dans le casque que je portais qui sentait aussi le jambon cuit. Il y a également ma robe qui a craqué quand je me suis assise dans le bolide inhospitalier.

Fait saillant : Fred a battu un record de piste. Non pas qu'il soit un bon conducteur, mais il avait hâte que la course se termine à cause d'une super grosse envie de pisser.

C'est ce qui a conclu les festivités entourant mon 15e anniversaire de naissance.

L'année prochaine, pour souligner mes 16 ans (ce sera mon année chanceuse), Fred tente de persuader Mom que j'irai déterrer des cercueils à la recherche d'objets de valeur que je pourrais revendre sur le Net.

(...)

Ça vient de me donner une idée pour un autre roman d'horreur. Hé, hé... 😊

(...)

Oups ! Je viens de penser que Mom ne sera pas là dans un an pour célébrer mes 16 ans.

Ça me rend malade d'y penser. ☹

Sauf si un miracle de la médecine se produit et qu'elle guérit inexplicablement de son cancer. Ça se peut, j'ai lu des témoignages.

> Il vient de quelle planète, celui-là ?

Je capote un peu. Beaucoup, même.

J'ai parlé avec Mathieu et c'était tellement surréaliste que c'est comme si ça ne s'était pas produit.

Ce matin, j'étais un peu craintive à l'idée de mettre les pieds à l'école.

J'ai eu peur de subir une autre crise de larmes incontrôlable.

Je n'ai pas beaucoup mangé pour le petit-déjeuner et Mom s'en est rendu compte. Elle m'a demandé ce qui n'allait pas.

    – Rien, j'ai répondu en faisant flotter une céréale dans ma cuillère, comme si elle était dans un radeau au milieu de l'océan.

    – Ouais, c'est ça. Et moi, je ne suis pas en train de mourir d'un cancer généralisé.

J'étais scandalisée.

    – Mom ! C'est quoi ce sens de l'humour tordu ?

    – Ben quoi ? Mieux vaut en rire que d'en pleurer, non ?

    – Ça me redonne vraiment l'appétit. Merci, Mom !

Elle s'est assise devant moi et a pris une de mes mains dans les siennes.

- Allez, dis à ta maman ce qui ne va pas. Ta peine d'amour te fait souffrir, c'est ça?

J'ai fait oui de la tête.

- J'ai peur de devenir hystérique comme hier.

- Tu n'étais pas hystérique, tu avais de la peine. Faudra que tu apprennes à te détacher.

- Me détacher de quoi? Me détacher de qui? De Mathieu?

- Non, ça, ça va se faire automatiquement, avec le temps. Je te parle des gens que tu rencontres à ton local d'entraide.

- Je ne suis pas attachée à eux.

- Bien sûr que tu l'es. Rappelle-toi ce qui s'est passé hier.

- La fille qui m'a raconté sa peine d'amour?

- Oui. Tu as sympathisé avec elle. Tu t'es mise à sa place. C'est une erreur qu'il ne faut pas faire parce que tu as, en quelque sorte, absorbé sa tristesse. En ce moment, tu as assez de la tienne, non?

- Oui, c'est vrai. Mais comment faire, alors?

- Tu dois apprendre à être empathique. Écouter la personne devant toi, compatir avec elle, mais ne pas lui prendre sa douleur, ce n'est pas la tienne. C'est la sienne.

- Mouais... Mais comment on fait ça?

- C'est un apprentissage. Au début de ma carrière d'infirmière, je me suis rendue malade à force de m'approprier les problèmes des patients et de les transporter sur mes épaules. J'ai fait une dépression.

– Toi, une dépression? Je ne savais pas!

– Eh bien là, tu le sais. J'ai été un an en arrêt de travail. Je me mettais beaucoup trop de pression. Je voulais sauver la vie de chaque patient que je soignais. Et si on m'avait demandé de cirer leurs chaussures ou d'épiler leur moustache, je l'aurais fait.

– Eurk, cirer des chaussures!

Mom a ricané.

– Tu vois où je veux en venir? Certaines personnes sont excellentes pour drainer l'énergie des autres avec leurs problèmes. Je les appelle les vampires psychiques. Ils visent les personnes les plus sensibles et transfèrent tous leurs problèmes sur elles.

Ça m'a fait penser qu'il y a quelques filles que je connais qui ont les canines pointues sans le savoir... 👿

Mom a poursuivi:

– Toi, tu es la victime parfaite. Tu me ressembles beaucoup. Tu as le cœur gros comme la Terre. Faut que tu apprennes à le protéger. C'est ton cœur, pas celui des autres.

J'ai fixé mon bol de céréales.

– Mon cœur est brisé, Mom. Je ne veux pas que tu t'en ailles.

Elle a esquissé un sourire plein de tendresse.

– Tu sais pourquoi je n'ai pas peur de la mort?

J'ai fait non de la tête.

– Parce que je me vois en toi. Même morte, je vais continuer à vivre.

Pour ajouter à ce moment rare de tendresse absolue avec ma mère, Fred est entré dans la cuisine en slip, avec une tache plus foncée sur le devant (qui a décrété que les gars ne devaient pas s'essuyer?), a ouvert le frigo et a bu du lait à même le carton en se grattant l'entrejambe avec désintérêt.

– Et lui, j'ai dit à Mom, est-ce que tu te vois un peu dedans?

Mom a grimacé.

– Pas maintenant, non. Mais je ne perds pas espoir. Peut-être un jour.

(...)

Ce qui me ramène à ce matin.

Quand je suis descendue de l'autobus, on a crié mon nom. En me retournant, j'ai vu que Mathieu trottinait dans ma direction.

– Nam! Attends, je veux te parler.

– Qu'est-ce que tu me veux?

Il a mis sa main sur mon bras.

– Attends. Qu'est-ce qui se passe avec toi?

– Pardon? Qu'est-ce qui se passe avec *moi*?

– Oui. Pourquoi tu m'as bloqué?

– Sur Fesse-de-bouc? C'est peut-être parce que je ne veux plus rien savoir de toi.

Mathieu a paru vraiment étonné.

– Pourquoi?

– Pourquoi? Tu me demandes *vraiment* pourquoi?

– Eh bien, je croyais qu'on allait rester amis. Comme avant.

– Je ne veux pas être ton amie, Mathieu.

Encore plus stupéfait :

– Pourquoi ?

– Tu me niaises, c'est sûr.

– Non. Je ne te comprends pas.

– Prends une journée ou deux pour songer à ce qui s'est passé. Pense aussi à ce que Valentine m'a fait.

– Valentine n'a pas rapport.

– Oui, elle a rapport. Parce que tu m'as trompée avec elle. Tu te rappelles ?

– Toi, avec Monsieur Patrick...

– Lâche-moi avec Monsieur Patrick. C'est un fantasme, c'est tout. J'ai toujours su qu'il n'allait jamais rien se passer avec lui, contrairement à toi. Tout le monde était au courant sauf moi. Tu sais comment ça peut être humiliant ?

– Je suis désolé...

– Trop tard pour être désolé.

Et je l'ai laissé en plan.

Comment Mathieu peut-il être aussi déconnecté de la réalité ? 😲

Est-ce qu'il s'attend vraiment à ce que je fasse comme s'il ne s'était rien passé ?

Il m'a trahie.

Et sa blonde est une chipie qui s'est servie de moi pour arriver à ses fins.

Il s'attend à quoi? Que je l'invite à la maison pour qu'on regarde un film d'horreur?

Je suis dépassée.

Vous n'auriez pas vu
mon amie Francine ?

Namxox

Publié le 20 janvier à 17 h 02
Humeur : Ambivalente

> ## C'est un Martien, c'est sûr

J'ai bloqué Mathieu sur Fesse-de-bouc, mais je ne peux pas le bloquer sur mon téléphone cellulaire.

Aujourd'hui, il m'a envoyé cinq textos, les cinq disant essentiellement qu'il veut *absolument* rester mon ami.

C'est tentant de lui répondre. ☺

Je me range du côté de Kim : en poursuivant une relation quelconque avec lui, je ne ferais que prolonger mon chagrin.

Mais ouf, c'est difficile !

Je l'ignore. Pour l'instant.

(...)

Kim a parlé à quelques-uns de ses contacts et elle est parvenue à dépister la future écrivaine.

J'ai son adresse courriel, je viens de lui envoyer un message.

«Bonjour Lara,

Je m'appelle Namasté, je suis en secondaire 2. Je suis aussi la rédactrice en chef du journal étudiant. Toi et moi avons le même prof de français, il m'a dit que tu allais bientôt publier un roman, bravo ! J'aimerais écrire un article sur toi, si tu le veux bien.

J'attends de tes nouvelles.

Namasté»

Elle ne m'a toujours pas répondu. 😳

Est-elle rendue tellement *hot* qu'elle préfère ne pas s'abaisser à accorder une entrevue à un journal étudiant?

À moins qu'elle ne m'ait pas répondu parce que ça fait juste deux minutes que j'ai envoyé le message?

C'est possible.

(...)

Faut absolument que je parle du nouveau hobby de Fred.

Comme je le disais auparavant, la lutte, c'est terminé pour lui.

Il a recommencé à mal manger (quand Mom n'est pas là, son menu du petit-déjeuner se résume à lait au chocolat [ewww], une cuillère de beurre et des crottes de fromage qui gardent ses doigts orange pour les trois jours suivants). Le seul exercice qu'il fait, c'est de transporter son sac à dos (il se plaint que son étui à crayons est trop lourd) et il a développé une passion pour l'artisanat avec des sacs à ordures (j'ai peut-être inventé ce dernier fait, ou peut-être pas).

Il a trouvé sur le Net, selon ses dires, «le plus stupéfiant livre de tous les temps». Un document qui «va changer sa vie à tout jamais» et lui permettre enfin «de montrer au monde entier la raison de sa venue sur Terre».

Je l'ai rarement vu aussi excité. (Il me semble avoir écrit cette phrase à quelques reprises au cours des derniers mois. (59))

Le titre de l'œuvre en question : *Les cartes comme armes*.

Ce serait écrit par l'auteur des *Cochons savants et femmes à l'épreuve du feu (ouatedephoque?)*.

Sur la page couverture, une illustration d'un barbu tout de brun vêtu, qui lance une carte d'un air de défi. On le voit aussi, en plus petit et toujours armé d'une carte, combattre un taureau, une pieuvre géante et un gangster.

Sous-titre de l'ouvrage : « Maintenant, vous pouvez être aussi dangereux qu'un chasseur avec un fusil pour tuer les éléphants ».

Un traité sur l'art de lancer, *boomeranger*, contrôler, jongler et manipuler des cartes de jeu ordinaires ayant pour but d'impressionner les amis tout en apprenant une meurtrière et économique technique d'autodéfense.

Titres des différents chapitres : « Histoire des premiers lancers », « Cartes et arts martiaux », « Cartes et magiciens », « La main, le poignet et la prise : les différentes techniques », « Comment et où pratiquer », « Techniques pour garder les doigts en forme et analyse des différentes études médicales sur le lancer de la carte », « Autodéfense contre le plastique et les humains, puis discussion pertinente sur le lancer de cartes comme méthode d'extermination des créatures nuisibles » et, en prime, « Techniques secrètes afin d'affronter plusieurs adversaires, dont le sanglant Poing quatre cartes ».

Je suis d'accord avec Fred : c'est effectivement stupéfiant.

Et totalement mensonger.

C'est une plaisanterie de 200 pages, ce livre.

Le gars, aussi cinglé (et barbu) soit-il, n'a jamais tué un tigre et un anaconda en leur projetant une seule carte à jouer.

J'ai testé la foi de mon frère :

- Ne me dis pas que tu y crois.

- Bien sûr que j'y crois! Tu penses que je m'exerce pour rien?

Il a alors lancé une carte (le roi de trèfle) sur une cible ; la carte ne s'est pas rendue, même si elle était à moins de deux mètres de lui.

- Le gars se prend au sérieux, c'est ça, le gag. C'est de l'humour absurde. Du second degré.

Une autre carte en direction de la cible (as de cœur). Un autre échec lamentable.

- Et s'il y avait un troisième degré? Et ce troisième degré, ce serait une technique qui fonctionne? Sous le couvert d'une blague, le gars est sérieux. C'est ma théorie. Tu sauras qu'avec une carte, j'ai failli couper une orange en deux.

- Si tu parles de l'orange sur le comptoir, elle était pourrie. J'aurais pu la faire exploser juste en la regardant.

- J'ai juste fait un geste vers elle et elle s'est ouverte. Elle a eu peur du pouvoir des cartes.

- Une orange n'a pas peur. Une orange, c'est une orange. Ça n'a pas de sentiments.

– C'est ce que tu crois. Je te dis, Nam, en m'exerçant à lancer des cartes, j'ai comme découvert une troisième dimension.

– La troisième dimension, c'est la profondeur. Tu n'as fait aucune découverte.

– Arrête, tu sais bien que je voulais dire la quatrième dimension.

– Je ne sais plus rien avec toi, Fred. Tu fais tomber toutes mes certitudes les unes après les autres.

Il a recommencé à lancer des cartes avec toujours aussi peu de précision, mais avec un entrain quasi contagieux.

Avant que je ne sorte de sa chambre, il m'a dit :

– Tu seras heureuse de mes aptitudes quand je t'aurai débarrassée des cinq ninjas sur le point de te transpercer la peau avec des étoiles.

– Justement, j'en ai vu un en revenant de l'école, caché dans une boîte aux lettres. T'as raison, je suis suivie. Et merci d'être là pour moi, grand frère.

Avant de franchir la porte, il m'a demandé :

– Est-ce que ça va mieux ? Tu sais, cette histoire avec Mathieu.

– Oui, ça va mieux. Merci de me le demander.

– Parce que si tu veux, je peux couper un ou deux de ses membres.

– Ça va aller. Garde tes énergies pour les ninjas qui me harcèlent.

Je vais manger.

> La persévérance est une belle qualité

Mouain... Faut croire que de m'avoir laissée a perturbé le pauvre Mathieu : il ne me lâche pas !

Dans la dernière heure, trois textos, le premier insistant, le deuxième désespéré et le troisième désespéré aussi (c'est le même, il voulait être sûr que je le reçoive).

Attention, révélation choquante : avoir su que je ne voudrais plus être son amie, il n'aurait pas sorti avec Valentine.

Wow. J'imagine la réaction de Valentine si elle lisait ce qu'il vient de m'écrire.

À quel jeu il joue avec moi ?

Je ne le comprends pas.

Kim persiste : je dois l'ignorer. Et Nath fait dire que plus je vais négliger Mathieu, plus il va perdre le nord.

C'est compliqué, l'amour. Ses règles défient toute logique.

🙂

De plus, je viens de lire qu'il faut en moyenne 17 mois et 26 jours pour faire le deuil de son ex. Si Mathieu continue à me coller comme ça, je ne serai jamais capable de l'oublier.

C'est peut-être de ça, qu'il a peur : que je l'efface de ma mémoire.

Quand on était ensemble, il avait une certaine emprise sur moi. Il était important à mes yeux et il comptait beaucoup. Mon attention pour lui flattait son amour-propre.

Comme je me suis détachée rapidement de lui, il est en manque d'attention.

Hé, hé... C'est juste une théorie, mais elle me convient parfaitement !

Ça me flatte qu'il tienne encore à moi. Après avoir eu l'impression d'avoir été jetée à la poubelle comme une pelure de banane, ça me remonte le moral.

Je ne m'attendais tellement pas à ce qu'il réagisse comme ça.

Même si c'est tentant de lui fournir une dose de Namasté, je continue à faire comme si je n'avais rien reçu de lui.

Mathieu ? Désolée, je ne connais personne qui porte ce prénom. 😊

Ça me divertit, mais en même temps, je suis en manque de lui.

L'embrasser, le toucher, me recouvrir le corps d'un mélange à gâteau à la vanille...

(...)

Lara vient de me répondre.

Elle a l'air gentille. Mais après ce que Valentine m'a fait subir, je suis prudente avec les filles mielleuses.

Je lui ai donné rendez-vous demain midi à la bibliothèque.

Je vais préparer quelques questions à lui poser sur la manière dont son manuscrit a été retenu.

Chanceuse! Je l'envie!

Sauf si elle mesure 1 mètre 80, qu'elle a des cheveux longs et blonds, des yeux verts, des jambes longues et fines, qu'elle est mince avec une super grosse poitrine… Là, je m'accorderai le droit d'être jalouse.

Il y a des limites à être parfaite. Faut bien que j'aie quelques défauts, sinon, ce serait ennuyant.

Cela dit ou plutôt écrit, dans le message que Lara m'a envoyé, j'ai relevé quelques fautes grammaticales. Je sais, je suis une tortionnaire de la langue. Mais c'est quand même étonnant de la part d'une fille qui sera bientôt publiée. Je suppose qu'elle a fait corriger son manuscrit avant de l'envoyer.

J'y pense… C'est peut-être pour ça que Madame Annie ne m'a toujours pas contactée? Parce qu'elle a vu trop de fautes dans mon roman? Je l'ai peut-être insultée?

Arghhh! Je déteste attendre.

Je veux tout, tout de suite, maintenant.

Faudrait que j'organise une rencontre impromptue avec Madame Annie.

Genre elle sort de chez elle et pouf! j'apparais.

Sauf que si elle se met à me donner des coups de parapluie parce que je lui ai fait peur, ça n'aidera pas ma cause.

J'ai compris: je vais attendre.

(…)

J'ai trouvé d'autres traits qui m'énervent avec Fesse-de-bouc:

🌸 Aimer des statuts tristes/pathétiques/tragiques

Tu écris que ton cochon d'Inde vient de mourir dans un épouvantable accident de grille-pain. Un gars que tu as croisé une fois dans ta vie dans un *party* alors que tu entrais et qu'il se faisait sortir par deux policiers clique sur «J'aime».

Qu'est-ce qu'il peut bien «aimer» dans ce message?

Aimer, dans ce cas précis, c'est synonyme d'apprécier. Pas «euh, euh, euh, que c'est drôle, un rongeur rôti, la prochaine fois qu'ils vont faire griller du pain, il va y avoir des poils dessus».

🌸 Critiquer ses parents

T'écris «WTF, mon père ne veut pas que je me fasse tatouer sur le front l'image d'un chef amérindien qui cajole un Pogo géant parce que ça pourrait compromettre mon avenir, WTF» ou «WTF, ma mère ne veut pas que je vende mon âme au diable en échange d'un *piercing* au nombril, WTF».

J'ai eu pas mal de disputes avec ma mère, je dois avouer que, souvent, elle a eu raison de me remettre à l'ordre. (Cette dernière affirmation m'a fait un peu mal en l'écrivant, mon orgueil d'ado m'a piquée avec une fourchette.)

La vérité est que les parents ont beaucoup plus d'expérience que nous, les ados, et que, même si ça nous fait suer au plus haut point, ils nous empêchent parfois de faire des conneries que nous pourrions regretter ensuite.

Voilà pourquoi il ne faut rien leur dire. Vive les secrets!
Gnac, gnac, gnac. 😇

🌸 Aimer ses propres statuts

C'est Narcisse qui regarde son reflet dans l'eau et se trouve tellement beau qu'il se noie.

L'équivalent dans une conversation, c'est quand une personne dit «La vie est belle» et ajoute tout de suite après «Wow, c'est tellement beau ce que je viens de dire, je me trouve géniale» tout en s'embrassant les mains.

🌸 Les plaintes dans l'infini

TOUT LE MONDE a des problèmes. Nous avons tous des parents fatigants, des professeurs qu'on aime moins ou qui ont des comportements déments, nous avons tous trop de devoirs, nous trouvons tous qu'il pleut/neige/ tornade trop et nous aussi, ça nous écœure quand nous sommes frappés par la foudre en jouant au golf.

🌸 Changer le statut d'une personne encore connectée

Un classique. Ton amie t'emprunte ton ordi et oublie de se déconnecter avant de partir. Mouahahah! Quel statut ridicule je pourrais bien écrire pour l'humilier? «Mes pieds trouvent que je pue du corps»? «Quand mes parents ne sont pas à la maison, je me déshabille complètement, enfile le tablier de mon père sur lequel est inscrit "Pire cuisinier au monde", je sors des steaks du congélateur et je fais semblant d'animer une émission de cuisine devant mes toutous»?

Si c'était ça! 😦

Eh non, on a plutôt droit à «Je viens de roter» ou à «Ça me gratte entre les deux jambes parce que j'ai embrassé (ajouter le nom d'un ou d'une prof obèse morbide)». Nul!

J'aime les bouffonneries, mais pitié, un peu d'originalité!

(...)

La suite demain, je suis morte de fatigue.

Même pas sûre d'avoir la force de me brosser les dents.

Je vais faire celles de Youki, les miennes peuvent attendre.

> Je suis officiellement journaliste !

Hé, hé !

J'ai rencontré Lara ce midi. Ça s'est bien passé. C'est une chic fille, même si elle est un peu timide.

Toute cette attention dirigée sur elle doit la rendre anxieuse. On le serait à moins !

Au début, elle tremblait et avait le teint d'une *emo* qui aurait abusé de la poudre pour bébé.

Il a fallu quelques minutes avant qu'elle se *dégêne*. Quand j'ai levé les bras afin qu'elle voie que je fais la grève du rasage de mes aisselles, ça l'a mise à l'aise.

Je n'ai pas à la jalouser : elle n'est pas super grande, elle porte des lunettes, elle a une poitrine normale et elle est brune. Ordinaire, un peu comme moi, finalement...

Je peux donc concentrer toutes mes énergies à l'envier.

L'envie, c'est moins malsain que la jalousie. Hé, hé...

Elle vit un véritable conte de fées avec son roman.

Elle l'a envoyé à une seule maison d'édition qui l'a contactée 24 heures plus tard pour lui faire signer un contrat !

C'est un roman de science-fiction, une histoire au sujet de personnes immortelles. Elle m'a donné un exemplaire pour que je le lise.

La science-fiction, je ne tripe pas trop, à moins que ce soit extrêmement mauvais au point d'être bon. En fait, il n'y a qu'un film de science-fiction que j'ai aimé, un vieux réalisé au début des années 80, *L'Empire contre-attaque* de la série *Star Wars*.

C'est vraiment l'exception.

Pas grave, je vais quand même faire l'effort de le lire. Voir si elle écrit mieux que moi, la *snoroune* !

Il a fallu que j'insiste pour qu'elle me le dédicace. Elle était gênée.

On est pas mal différentes ! Moi, j'ai commencé à écrire des dédicaces pour m'excercer, dans mon agenda, sur les murs de l'école, sur les bancs des autobus et sur le ventre de femmes enceintes (ou qui ont l'air enceintes, désolée madame !).

Je ne lui ai pas dit que j'avais écrit un roman d'horreur. Parce que je voulais la mettre en valeur.

Je lui ai demandé si je pouvais assister au lancement de son roman et elle a accepté. En prime, elle fera le nécessaire pour que son attachée de presse (une dame dont le travail consiste à attacher des journaux, je pense) m'ajoute sur la liste des journalistes invités.

Ma première assignation officielle !

Pour l'occasion, je vais enfiler un imperméable brun et mettre un chapeau sur lequel un carton blanc sera fixé et où on pourra lire en lettres majuscules le mot PRESSE. J'aurai dans une main un appareil photo des années 50 avec un flash gros comme un phare et dans l'autre une machine à écrire de 25 kilos.

Je vais interroger tout le monde : l'éditeur, les parents de Lara, les invités, le chauffeur d'autobus qui va me mener au lancement et même les sandwichs aux œufs.

Ça va faire un super article.

Je pense que je suis 100 fois plus excitée que Lara.

C'est probablement parce que je me vois en elle, j'ai hâte que ça m'arrive.

Mais c'est aussi possible que ce soit parce que je suis juste déséquilibrée mentalement. 😃

(...)

Mon histoire surréaliste avec Mathieu se poursuit. Je pense même qu'il provoque des rencontres.

Avant, c'était assez rare de le rencontrer par hasard parce que nos cours ne se donnent jamais dans le même kilomètre carré.

Aujourd'hui, « par hasard », je l'ai croisé quatre fois.

Et comme c'est un comédien plutôt poche, chaque fois qu'il a feint la surprise en me voyant, j'ai failli changer de poste et regarder les nouvelles du sport.

– Tu as eu mes messages ? il m'a demandé la première fois.

Moi, je suis une bonne comédienne. Je lui ai servi le rôle de la-fille-qui-ne-sait-vraiment-pas-de-quoi-il-parle.

- Quels messages?
- Les textos. Je t'en ai envoyé quelques-uns.
- Non, pas reçus.

J'ai poursuivi mon chemin. Il m'a rattrapée.

- As-tu changé de numéro de téléphone?
- Non.
- Alors pourquoi tu ne les reçois pas?
- Je ne sais pas. Demande à ton téléphone. Peut-être qu'il les retient parce qu'il trouve que c'est poche ce que tu m'as fait subir.

Et je l'ai laissé en plan en entrant dans les toilettes des filles.

J'aurais bien aimé qu'il soit là quand j'en suis sortie, mais il était parti. 😕

On s'est revus trois autres fois, dont une à la bibliothèque alors qu'il faisait une recherche dans la section Ésotérique, là où aucun élève ne se rend parce qu'on raconte que le dernier qui y a emprunté un livre a été dévoré par un brocoli géant.

PAS. DE. BLAGUE.

De toute façon, Madame Shhh! achète les livres de cette section uniquement pour se faire plaisir. Elle est la seule à s'intéresser à des titres comme *Quand les chakras démangent*, *Votre ange et ses écoulements nasaux* et *Quand vous êtes malade, c'est de votre faute!*

Madame Shhh! a des pyramides en cristal sur son bureau et on dit qu'en cachette, elle fume de l'encens saveur « sous-bois et carcasses d'animaux méconnaissables».

Durant le temps où j'étais avec Mathieu, le seul élément ésotérique que j'ai pu détecter chez lui est son *weirdo* de frère. Et le fait que son nombril nous donne la patte quand on le lui demande.

Plus sérieusement, à présent, j'ai juste peur qu'à force d'être ignoré et traité comme un tapis, Mathieu se tanne et décroche.

Jusqu'à quand pourrai-je faire durer la torture? Dans 80 ans, quand il va me poursuivre en fauteuil roulant, vais-je me hâter de pousser ma marchette pour le fuir?

Plus que tout, POURQUOI est-ce que j'agis comme ça avec lui?

Réponse de Kim: «Par vengeance! Pour qu'il souffre, le porc! Pour faire du bacon avec. Et des saucisses pour déjeuner. Et des cretons.» Suivie d'un rire diabolique que je n'ai pas reçu par texto comme la conversation, mais que j'ai entendu de ma chambre venant de chez elle.

À plus, cher blogue.

* *

JAMAIS DEUX SANS TROIS

Il est là depuis toujours, entre vos deux sourcils,
et il n'attend qu'un signe de votre part.
Laissez-nous vous apprendre à ouvrir votre troisième
oeil afin qu'il vous permette d'avoir une plus
grande connaissance de vous-même et de développer
des perceptions extrasensorielles comme le pouvoir
de détecter les accès Wi-Fi dans les endroits
publics. Nous offrons également une gamme complète
d'accessoires pour votre troisième oeil comme
un verre fumé à l'érable, une lentille cornéenne
et un liquide spécialement conçu pour atténuer
la rougeur de votre oeil.

www. onaaucuneideedecequonraconte.com

* *

> **Pas lui aussi...**

Grand-Papi est à l'hôpital ! 😟

Les antibiotiques qu'on lui a donnés pour combattre sa pneumonie n'ont pas eu d'effet. Le médecin préfère le garder quelques jours, histoire de s'assurer que son état ne va pas empirer.

J'ai demandé à Mom si on pouvait mourir d'une pneumonie, elle m'a dit «oui, surtout les personnes âgées». Il aurait fallu qu'elle me réponde «non, surtout pas les personnes âgées, je n'ai jamais vu ça, ce n'est jamais arrivé dans l'histoire de l'humanité»!

Après souper, Grand-Papi s'est plaint d'être essoufflé et d'avoir chaud. Mom a pris son pouls et sa température et, sans attendre, elle a ordonné à Pop de le conduire à l'hôpital.

Mon grand-père ne voulait rien savoir :

– Laisse faire ça. Je vais aller me coucher, ça va passer.

– Non, papa. Tu fais trop de fièvre. Je me demande bien comment ça se fait que tu n'aies pas encore eu d'hallucinations.

– J'y pense, j'en ai eu. J'ai vu Fred dans la cour lancer des cartes à jouer en poussant des cris.

J'ai rassuré mon aîné :

– C'était pas une hallucination, Grand-Papi. C'est la réalité.

(Fred n'a pas abandonné l'idée de tuer un bœuf en lui plantant une carte entre les deux cornes; cependant, il crie maintenant pour «transférer de la puissance» à sa carte, c'est assez agressant.)

Perso, je ne trouvais pas Grand-Papi si mal en point. Un peu blême, incapable de se tenir sur ses deux jambes, la voix chevrotante, les mains qui tremblent, la gorge enrouée, mais rien de plus.

– Tu dois te rendre à l'hôpital. Ta pneumonie n'est pas guérie.

Grand-Papi déteste les hôpitaux. Je ne connais personne qui a du plaisir à entrer à l'hôpital à part les sachets de Jell-O, mais Grand-Papi est vraiment dans une classe à part.

Pourquoi?

Mom m'a raconté qu'il est persuadé que le médecin qui suivait ma grand-mère aurait pu diagnostiquer plus tôt le cancer du sein qui la rongeait. Elle avait détecté une bosse que le médecin a traitée comme un tout petit kyste.

Le «tout petit kyste» était une tumeur. Moins d'un an plus tard, ma grand-mère était morte.

Depuis, Grand-Papi en a contre tous les médecins et il exècre leur milieu naturel, les hôpitaux.

Mom aussi était fâchée, mais elle a constaté avec les années que les médecins ne sont pas des êtres parfaits, qu'ils peuvent aussi faire des erreurs.

Elle a expliqué son point de vue à plusieurs reprises à Grand-Papi, mais il ne décroche pas.

Je suis allée avec Pop à l'hôpital.

Grand-Papi est persuadé qu'il ne sortira pas de là vivant.

– C'est ma mort, il a dit à plusieurs reprises. Ils vont faire une erreur de médicaments ou je vais attraper une de ces maladies impossibles à guérir.

Pop lui a recentré les idées.

– Voyons, le beau-père. Dites-vous qu'au moins, si vous mourez subitement, vous serez à l'hôpital. Vous ne serez pas seul comme si vous étiez dans votre chambre ou dans votre auto. Et vous serez tout près de la morgue.

– Crever dans un corridor d'hôpital, entre une vieille dame aux poignets attachés aux barreaux de son lit et un gars qui souffre d'une pierre au rein, quelle mort enviable !

J'en avais assez entendu, il a fallu que j'envoie des signaux de détresse.

– Euh, au cas où personne ne s'en serait rendu compte, je suis sur le point de faire une attaque de panique. J'aurais besoin d'être rassurée. Si c'était possible de mettre de côté votre humour de mauvais goût aujourd'hui, ce serait formidable.

– On va tous mourir un jour, ma p'tite fille. C'est ça la vérité.

Je n'ai jamais vu Grand-Papi dans cet état. Il est grognon, des fois, mais jamais au point de m'angoisser ! 😶

Je m'attendais à ce qu'il soit super désagréable avec les infirmières qui l'ont accueilli ; pas du tout. Il a été charmant.

Il n'a pas attendu dans la salle d'attente, on l'a conduit directement dans une salle d'observation au cas où il aurait une maladie infectieuse et parce que c'est une personne âgée. Il faut dire que l'infirmière a un peu capoté quand elle a pris ses signes vitaux.

On l'a laissé là-bas alors qu'on lui posait un masque à oxygène.

Avant que je parte, il m'a fait un clin d'œil.

Je ne veux pas qu'il meure !

Pourquoi le sort s'acharne-t-il sur notre famille ?

Pop qui a recommencé à boire de l'alcool, Mom et son cancer généralisé, Grand-Papi à l'hôpital pour une pneumonie qui a mal viré, ma mononucléose et Fred hurlant à pleins poumons chaque fois qu'il lance une carte à jouer…

C'est trop !

J'ai besoin de plénitude. (Je sais pas trop ce que ça veut dire, mais «plénitude», c'est un mot calme, donc ça me va.)

Mom m'a rassurée (enfin !) quand on est revenus à la maison. Elle avait appelé à l'hôpital et elle connaît le médecin de garde. Grand-Papi est en de bonnes mains.

(…)

J'ai commencé à lire le roman de Lara, *La morgue aux immortels*.

Pas mal.

Comme j'ai dit, ce genre, ça ne m'allume pas trop, mais elle écrit bien et l'intrigue est rondement menée.

C'est fou, quand on parle avec Lara, jamais on ne pourrait imaginer que cette fille est aussi savante en science-fiction. C'est impressionnant.

J'ai hâte d'assister au lancement demain.

Ouf, mais ce sera toute une aventure de me rendre là-bas. Je suis mieux d'enfiler de confortables chaussures de marche, faudra que je parcoure des milliers de milli-mètres. C'est pas trop loin de mon casier : ça se fait dans le gymnase. 😛

(...)

J'ai un examen demain, je vais aller relire mes notes. Parce que je sais que ce genre de détail sordide de mon existence t'intéresse, toi, lectrice imaginaire.

Un instant,
je ne suis pas d'accord

Nomxox

> Au beau fixe ?

Avant de partir pour l'école, je n'avais toujours pas de nouvelles de l'état de santé de Grand-Papi.

Mom dit qu'on lui a fait passer des tests.

On essaie de comprendre pourquoi son pouls est si rapide et pourquoi il fait tant de fièvre.

Paraît qu'il a fait des blagues au goût douteux, ce qui signifie qu'il ne va pas si mal. 😜

(...)

J'ai croisé Lara ce matin, elle est super nerveuse pour son lancement.

Ce n'est pas le mien et j'ai une nuée de papillons dans le ventre qui veulent migrer vers les chauds pays !

Quand je dis qu'elle est nerveuse, c'est pas des blagues, elle a vomi.

Je lui ai conseillé de ne pas s'inquiéter, parce que tout allait super bien se passer, que c'est un événement positif et qu'elle doit en profiter au maximum.

C'est une des plus grandes journées de sa vie !

Je suis tellement plus enthousiaste qu'elle.

Je lui ai promis de l'aider à traverser ce moment. Une fois les premières minutes passées, elle se sentira mieux.

Je vais l'accueillir dans le gymnase comme une championne.

Je vais me déguiser en *cheerleader* et, tenant dans chaque main une marmotte morte trouvée sur le bord de l'autoroute, je vais chanter : « Donne-moi un L, donne-moi un A, donne-moi un R, donne-moi un A, L-A-R-A, LARA ! »

Et je vais souffler dans un *vuvuzela* à des moments inopportuns tout en criant des statistiques cocasses comme : « 70 % des femmes ne portent pas la bonne taille de soutien-gorge ! »

Je devrais réussir à faire dévier l'attention de la pauvre Lara vers moi.

(...)

Je n'ai rencontré qu'une seule fois Mathieu « par hasard » cet avant-midi.

Il dit qu'il aimerait qu'on parle.

– Vas-y, je t'écoute.

– Pas ici. En privé.

– Genre où ? Dans ta chambre pendant que ton frère a l'oreille collée au mur pour écouter notre conversation ?

– Tu penses qu'il fait ça ?

– J'en suis sûre. Tu n'as pas remarqué qu'il avait toujours une oreille plus rouge que l'autre ?

– Oui. Je pensais que c'est parce qu'il la maquillait.

– La maquillait ? Qui maquille ses oreilles ?

– Mon frère.

– Ah bon.

– Il est excentrique.

– Je n'ai pas remarqué.

La cloche a sonné, il a fallu qu'on s'éloigne l'un de l'autre.

– Je veux vraiment te parler, m'a répété Mathieu. De quelque chose de super important.

– Tu as trouvé un remède contre le cancer?

– Hein? Oh, non.

– Alors tu n'as rien à me dire.

Je suis entrée dans mon casier et j'ai refermé la porte.

Par les orifices, j'ai observé l'air déconcerté de Mathieu après l'avoir laissé en plan.

Qu'est-ce qu'il peut bien avoir de si important à me dire? La canaille, il a piqué ma curiosité! 👽

– C'est juste un moyen qu'il a trouvé pour avoir ton attention, Kim a dit. Tu as bien fait de le repousser.

– Peut-être, mais s'il avait quelque chose de vraiment important à me dire?

– Important comme quoi? Tant qu'il n'y aura pas d'incendie dans tes cheveux, il n'y aura rien qui mérite de lui accorder l'attention qu'il souhaite. Passe à autre chose. Il y a plein de gars intéressants à l'école.

– Pas comme Mathieu.

– Mais oui. Regarde le gars au fond de la classe.

– Le roux avec les cheveux frisés? Benoît?

– Oui. Lui est intéressant.

– Il passe tous ses temps libres à dessiner des champignons nucléaires dans ses cahiers d'exercices avec son portemine.

– Je sais. Et il frotte un peu de salive dessus pour leur donner des dégradés de gris.

– Ça me dégoûte, moyen.

– Tu n'es pas une fille superficielle. Regarde au-delà de ce comportement révoltant. Va le voir. Va lui parler. Intéresse-toi à ce qu'il fait. De toute façon, ce sera ton rebond. Ça ne va pas durer longtemps.

– Mon rebond? C'est chien, il n'est pas si gros que ça.

– Je n'ai pas dit qu'il allait rebondir comme un ballon. Je te parle d'une théorie amoureuse. Le rebond est la personne avec qui on sort après avoir vécu un grand amour. C'est une relation qui ne dure pas, c'est comme juste pour se prouver qu'on peut encore être désirée par quelqu'un.

– Et tu veux que mon rebond soit un obsédé de la bombe atomique qui bave sur ses dessins?

– Pourquoi pas? Je sais que tu peux aller au-delà de l'image.

– Pas cette fois. Il me fait un peu peur, Benoît.

J'en suis donc rendue à un point où j'aimerais être seule avec Mathieu pour discuter, mais où je ne devrais pas parce que, selon Kim, c'est juste un moyen qu'il utilise pour m'hameçonner.

Je fais quoi?

Pour l'instant, je retourne en classe, la cloche vient de sonner.

Attention devant !

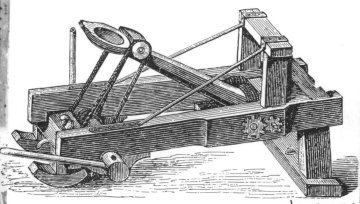

Namxox

> ## > L'heure H approche

Le lancement est dans un peu plus d'une heure. Pendant ce temps, je suis à la biblio pour passer le temps. Derrière moi, on est en train d'arranger la salle pour le lancement du livre de Lara.

On a fait un trou dans le plafond. Après avoir attaché un super gros moteur turbo au roman, on allumera la mèche et pschhh, le tout s'envolera dans les airs.

C'est ça, un lancement de livre.

Ha! Ha! Ha!

Ha! Ha!

Ha!

Je suis tellement drôle, on m'appelle dans les cercles fermés des maniaques la Dynamiteuse de rates!

Mais non.

Madame Shhh! capote, on vient de faire entrer des catapultes dans *sa* bibliothèque.

Le but est de projeter un livre à une si grande vitesse qu'il va briser le mur du son. Gare aux visages qui se trouveront dans sa trajectoire. La pièce sera inondée par une fontaine de sang, zut, j'ai oublié d'apporter mon maillot de bain.

(À l'aide! je suis en train de perdre le contrôle de mon équilibre mental!)

C'est quand même plus gros que ce à quoi je m'attendais.

Il y a une énorme photo noir et blanc de Lara (plus grande que moi!). Elle est belle, Lara. Avec l'éclairage, elle ressemble à un ange.

Sous la photo, il est écrit «L'avenir de la littérature, c'est elle».

Ouf... C'est pas un peu trop de pression pour une fille de 14 ans? Me semble que quelque chose de moins prétentieux serait plus approprié. Genre «Lisez son roman, il est bon» ou «Si jeune, si talentueuse!» C'est comme si on annonçait que c'était la Mozart du 21ᵉ siècle! Je comprends Lara d'être nerveuse.

(Le blogue de Namasté rappelle que Joannes Chrysostomus Wolfgangus Theophilus Mozart, aussi appelé Wolfgang Amadeus Mozart et surnommé WAM par son mécanicien, était un virtuose qui a composé ses premières œuvres à six ans, avant même d'avoir appris à lire et à écrire.)

On a installé une table avec des piles d'exemplaires, là où la vedette du jour va dédicacer son livre.

Il y a du vin et des fromages.

(Confidence: à l'abri des regards, en rampant sur le sol et en collant des livres sur mon corps pour passer inaperçue, je me suis approchée de la table et j'ai avalé une meule de brie, puis je me suis gargarisée avec du vin pour cacher mon haleine de lait coagulé [ouais, c'est ça, du fromage].)

Il y a un homme qui parle plus fort que les autres, je pense que c'est l'éditeur. À l'écouter, Lara va être millionnaire avant 18 ans. Il vient aussi de dire qu'il est en pourparlers avec plusieurs pays pour la vente des droits de traduction et qu'un producteur de films semble intéressé.

Mouain... Elle a gagné le gros lot, cette Lara.

Je m'imagine à sa place et ouf... je deviendrais complètement maboule. 😊

Ce que Lara vit, c'est un rêve éveillé. Moins les trucs bizarres qui surviennent parfois, comme des flamants roses qui plantent des êtres humains sur leur terrain.

Je ne comprends juste pas pourquoi elle considère cela comme une torture.

Ça doit être une question de personnalité.

Je vais essayer de la trouver et voir si elle a besoin de soutien.

(...)

Je viens d'appeler à la maison, pas de réponse.

J'ai aussi tenté de contacter Pop sur son cell, mais c'est la boîte vocale.

Comme on dit: «Pas de nouvelles, bonnes nouvelles.» (C'est *nawak,* cette expression.)

> **L'heure H n'est pas encore passée pour Grand-Papi**

Grand-Papi a failli mourir !

Si Mom n'avait pas insisté hier soir pour qu'il se rende à l'hôpital, il ne serait plus des nôtres. 🙁

Quand j'ai appelé cet après-midi pour m'informer de son état, ni Mom ni Pop n'ont répondu parce qu'ils étaient à son chevet, ne sachant pas s'il allait survivre.

Mom m'a expliqué qu'il avait fait un choc septique. En gros, les bactéries des poumons sont passées dans son sang. Et c'est grave ! Grand-Papi s'est plaint au médecin qu'il avait froid et sa pression artérielle a chuté radicalement. Il a été sauvé de justesse.

Le choc septique, ça ressemble au choc toxique. Dans les instructions des tampons, on en parle abondamment. Si on porte un tampon trop longtemps, le nombre de bactéries devient tel qu'elles réussissent à pénétrer dans le sang.

Pour l'instant, Grand-Papi est aux soins intensifs. Mom m'a assurée qu'il allait bien, mais il doit laisser à son corps le temps de se remettre de cette attaque.

Les prochaines 48 heures seront déterminantes.

Qui a dit «Pas de nouvelles, bonnes nouvelles»? Qui ? C'est encore Donald le canard ? !

(...)

OMG! Je viens de lire sur le Net qu'à la suite d'un choc septique, le taux de survie n'était que de 50 %. Grand-Papi est un samouraï, il va s'en sortir.

Sauf qu'il devra cesser de fumer. La cigarette est une des causes de la pneumonie. Quand va-t-il comprendre que c'est du poison? Arghhh!

Je voulais me rendre à l'hôpital toute de noir vêtue et portant un voile, je me serais jetée au pied du lit de mon grand-père en pleurant et en criant, mais Mom m'a dit que ce n'était pas nécessaire.

Je l'aurais fait!

(...)

Revenons, si vous le voulez bien, au lancement du livre de Lara.

Je crois que ça a été un franc succès. Pas juste en raison de ma présence (!), mais parce qu'elle a vendu plus de 50 romans. Pas assez pour se payer des études universitaires, mais c'est un bon départ.

L'éditeur a dit qu'il avait rarement vu autant d'intérêt. Dans les lancements, il vend rarement plus de 10 ou 15 bouquins.

(Je crois que l'éditeur de Lara s'est piqué aux arcs-en-ciel. Je comprends que ce soit phénoménal qu'elle publie un bon roman à cet âge, mais elle n'a quand même pas trouvé un vaccin contre le sida ou un remède pour traiter l'immaturité des gars. Il croit en elle, très bien. Mais qu'il n'essaie pas de nous faire avaler que c'est la réincarnation de l'auteur qui a pondu le bottin téléphonique, parce qu'il en faut de l'imagination pour inventer tous ces noms et numéros de téléphone.)

En plus de tous les profs de Lara, d'autres sont venus. Il y avait des journalistes et des caméramans.

Pour la première fois, on pouvait parler fort dans la biblio sans se faire avertir. J'en ai profité pour répéter mon cri du renard, tout en faisant des grimaces à Madame Shhh! et en y allant d'une danse irlandaise.

(Je l'ai peut-être déjà écrit, mais le glapissement du renard est le son le plus terrifiant de tous les univers de toutes les galaxies du monde entier. Sauf pour Haïme, mon renardeau d'amouuur. Son cri à lui est épeurant, mais mignon. Comme une mygale qui porte une perruque blonde. Cela dit, quand ma vie va mal, je vais écouter le glapissement d'un renard sur *Youtoube* et je me dis que, dans le fond, ma vie pourrait être pire, mes profs pourraient pousser ce type de cri, genre. Ou le gars du dépanneur qui fait des blagues poches, ou mon réveille-matin.)

Juste avant le lancement, il a fallu que je fasse des exercices de respiration avec Lara. Elle était sur le point de tomber dans les pommes. Pas les Délicieuse, celles qui sont sucrées, les autres, les Paulared, celles qui sont amères et font saigner du nez.

– Je vais mourir, elle m'a dit. Je suis trop nerveuse.

– C'est génial, les auteurs morts vendent toujours plus de livres.

C'était une blague pour détendre l'atmosphère, mais l'effet a plutôt été celui d'un calembour qui a fait «pshitt!», comme un ballon qui se dégonfle. ☺

Ses yeux se sont révulsés.

   – C'était une *joke*. Poche, je sais. Désolée. Tout va super bien se passer. Tu dois profiter du moment. Avoir du plaisir.

J'étais sur le point de faire apparaître un sourire sur son visage lorsque ses parents sont arrivés.

Ciel! Comment dire?

Ils ont anéanti tous mes efforts.

Et je comprends maintenant pourquoi Lara, la pauvre, est si angoissée.

Ils sont droits. Au propre comme au figuré. Ce sont des I majuscules. Je serais prête à gager que le père et la mère portent un corset. Et qu'ils ont des manches à balai collés aux jambes et aux bras. Ils marchent comme les robots des films des années 50, comme s'ils n'avaient pas d'articulations.

La mère est raide avec sa fille. Le père fronce continuellement les sourcils, comme s'il était toujours en désaccord.

Sa mère lui a répété je ne sais combien de fois:

   – Tu ne nous fais pas honte, d'accord? On veut être fiers de toi.

Comment peuvent-ils ne pas l'être? Leur fille de 14 ans a écrit un roman de science-fiction qui vient d'être publié dans une maison d'édition reconnue!

Qu'est-ce qu'ils veulent de plus? Qu'elle jongle avec des couteaux enflammés? Qu'elle affronte dans un combat sanglant une panthère noire? Qu'elle batte le record du monde du plus grand nombre de hot-dogs avalés en dix minutes (68, quand même, par l'Américain Joey Chestnut, que je salue en passant: «Salut, Jo!»)?

J'avais le goût de les secouer comme des salières pour qu'ils prennent enfin conscience que leur fille était terrifiée.

Youhou! Votre fille a besoin d'être rassurée, pas d'être rabaissée!

À un moment donné, Lara est allée se réfugier aux toilettes. Je l'ai rejointe.

Elle était dans une cabine, les deux mains sur les yeux et elle pleurait.

Je me suis accroupie devant elle.

– Ça va aller, je lui ai dit en caressant sa tête.

– Elle n'est jamais contente. Jamais. Quand j'ai 100 % dans un examen, ma mère dit que c'est parce que c'était trop facile. Quand j'ai 90 %, c'est parce que j'ai été trop paresseuse pour étudier. Je n'en peux plus.

On a parlé pendant une dizaine de minutes.

Depuis que Lara est toute petite, sa mère l'a inscrite à des cours pour faire d'elle un singe savant.

– Mais je suis nulle dans tout. Le piano, le violon, la gymnastique, le trampoline, la poterie, elle m'a tout fait essayer. Je suis une bonne à rien.

– Tu as écrit un roman, ce n'est pas rien!

- Bof. Ma mère m'a dit que ce n'était pas de la grande littérature.

- Non !

- Ouais. Elle ne l'a même pas lu.

- Au fait, c'est quoi, de la grande littérature ? Des romans format géant ?

Lara a esquissé un timide sourire.

- Bah, j'imagine que c'est comme Flaubert, Dumas, Zola, tu sais, les classiques.

- Faut que tu parles à ta mère. Ça ne peut pas durer comme ça, elle t'étouffe.

- J'ai essayé de lui parler. Mais c'est peine perdue.

- Alors demande de l'aide. Parle à une travailleuse sociale, un psychologue...

- Et ils vont faire quoi ? Parler à ma mère ? Elle va être morte de honte et va me mettre dehors de la maison.

- Elle ne peut pas faire ça.

- Tu crois ? Tu ne connais pas ma mère.

En sortant des toilettes, elle était un peu plus sereine qu'en y entrant.

Tout s'est passé comme sur des roulettes.

Il y a eu des discours (Monsieur M., l'éditeur, Monsieur Patrick et Lara qui n'a parlé que 15 secondes, sa mère n'était pas heureuse, elle aurait voulu que ça dure plus longtemps). Ensuite une séance de dédicaces, des entrevues avec les médias et, quand le coup de feu du pistolet de départ a retenti (j'ignorais que Madame Shhhh ! en cachait un dans son soutien-gorge), tous les invités se sont jetés sur le buffet comme des bêtes affamées de sorte qu'une minute plus tard il ne restait que les biscottes avec un truc vert et jaune dessus, comme une mayonnaise avec des grumeaux, je vais en faire des cauchemars.

À la fin, Lara avait un large sourire aux lèvres. Bravo, mon amie, c'est mission accomplie! ☺

Ça s'est terminé de manière spectaculaire quand Madame Shhh!, un peu saoule, a collé les biscottes boycottées sur son visage, est montée dans la coupole de la catapulte, a rongé la corde avec ses dents et s'est retrouvée aplatie sur un mur.

(...)

En sortant de l'école, qui ai-je croisé «par hasard»?

Eh oui, Mathieu.

On a parlé pendant quelques minutes.

Deux choses dignes de mention se sont produites. Les deux ont le potentiel de me mettre dans l'embarras.

Je vais en parler demain, parce que j'ai des devoirs et des leçons à faire. Mais plus que tout, je dois me plaindre à Mom parce que je dois refaire mon lit TOUTE SEULE vu qu'elle a lavé les draps. Méchante!

> **Ma pire ennemie : moi**

J'ai été réveillée par le téléphone ce matin.

Une sonnerie de téléphone à cinq heures du matin, ce n'est jamais pour annoncer une bonne nouvelle. Même pas pour vendre un abonnement à un magazine.

Eh bien, c'était Grand-Papi ! Il voulait juste nous dire qu'il allait mieux. Yé !

Des appels matinaux comme celui-là, n'importe quand (mais après neuf heures, s'il vous plaît !).

(...)

J'ai presque terminé le roman de Lara.

Il y a là-dedans des expressions que je n'avais jamais lues de ma vie. Elle a un vocabulaire plus étendu que le mien.

Il y a même des scènes de sexe. Étonnant de la part de Lara. Elle est tellement renfermée, tellement timide.

Heureusement que sa mère n'a pas lu le roman, elle aurait fait un nœud dans son duodénum.

C'est osé et, en plus, c'est vraiment *biz*. Une humaine fait la chose avec un mutant à tentacules. Où a-t-elle pigé ça ?

J'ai plein de questions à lui poser quand je vais la voir. Entre autres : le mutant à tentacules, c'est mon frère, n'est-ce pas ?

(...)

Mathieu, Mathieu, Mathieu...

Il va me faire mourir. 😔

J'ai fait deux gaffes hier soir.

La première :

Il m'a fait promettre de ne rien dire à personne.

Valentine et lui se sont fait prendre à voler la semaine dernière.

Je savais que ça allait arriver !

C'était une paire de boucles d'oreilles.

Valentine a déclaré aux agents de sécurité qu'elle les avait oubliées sur elle. Elle s'en est sortie avec un avertissement de ne plus jamais remettre les pieds dans le magasin. Il semble qu'elle ait eu la peur de sa vie.

En plus, elle a attrapé une infection aux lobes qui les fait cracher du jaune. J'ai fait remarquer à Mathieu que c'était un détail superflu, il m'a donné raison.

Il n'avait pas à le dire, j'ai toujours raison.

Mathieu, cependant, ne s'en est pas tiré aussi facilement.

Les agents de sécurité lui ont montré des images d'une caméra de sécurité. Mathieu a prétendu que ce n'était pas lui.

– Faudrait que tu me serves d'alibi, il m'a dit.

– Alibi ? C'est quoi ça ?

– Eh bien, tu dois juste affirmer qu'à telle heure, à tel endroit, j'étais avec toi. C'est tout.

- Dire ça à qui?

- Aux policiers.

- Euh, OK. Mais est-ce que j'étais avec toi?

- Bien sûr.

- Comment tu peux le savoir?

- C'est pas important. Faut juste que tu dises que t'étais avec moi.

- Ben là! Je vais vérifier avant, qu'est-ce que tu en penses?

- Bonne idée. Je vais t'envoyer l'heure et la date par texto.

- OK.

- Donc tu vas pouvoir faire ça pour moi?

- Bah oui.

Et là il m'a prise dans ses bras et il m'a serrée tellement fort que, comme une flûte de fête, ma langue s'est dépliée en sortant de ma bouche. 😵

J'aurais dû lui dire non. Je ne veux pas être mêlée à ses histoires de vol à l'étalage. Qu'il demande à Valentine.

J'ai été très claire avec lui, ça va lui causer des ennuis.

Je vais vérifier quand même parce que je n'ai qu'une parole. Je suis trop gentille.

La deuxième gaffe:

Après que Mathieu m'a fait sortir un peu de cerveau par les oreilles parce qu'il m'a serrée trop fort, nos bouches se sont retrouvées à quelques centimètres.

J'ai senti son haleine chaude (menthe verte) de mâle viril sur ma peau et oui, des frissons de désir ont parcouru ma colonne vertébrale.

Il a tourné la tête de quelques degrés et s'est avancé pour m'embrasser.

Surmontant mon désir ardent de faire un échange de salive avec lui, j'ai détourné la tête.

– Qu'est-ce que tu fais? j'ai demandé.

Question idiote, il n'allait sûrement pas me répondre qu'il pêchait l'espadon.

– Je veux t'embrasser.

– Non! Tu sors avec Valentine!

– Je sais. Mais ce sera notre secret.

– C'est ce que tu lui disais quand on sortait ensemble et que tu voulais l'embrasser?

– Arrête. Avoue que t'as le goût.

– Non. Euh... J'ai un *chum*.

Il m'a regardée comme si je venais de recevoir un oiseau dans un œil.

– Hein?

– J'ai un *chum*.

– Comment ça?

– Comment ça... J'ai un *chum*. Et je n'ai pas à me justifier. Surtout pas à toi!

– Déjà? Tu n'as pas mis de temps à me remplacer.

– Tu sais, c'est comme chez le boucher, les gars prennent un numéro pour sortir avec moi.

– Sauf que t'es pas un morceau de viande.

– Non, effectivement. Merci de me le rappeler.

– Tu n'as pas le goût, des fois, de m'embrasser? Comme dans le bon vieux temps...

– Le bon vieux temps, tu veux dire il y a deux semaines?

– Ouais. C'était bon, non? Tu sais, quand je caressais ton ventre et tes cuisses.

Il sait comment me parler, le chenapan. Je n'ai pas cédé.

– J'ai tout oublié.

– Tu sais que ça me rend vert de jalousie que tu aies un *chum*?

– Pourquoi? Tu es avec Valentine.

– Le cœur a ses raisons que la raison ne comprend pas, dit-on.

– Je comprends. Dans le fond, t'aimerais sortir avec nous deux en même temps.

– Ouais... Ça serait *cool*.

J'ai posé ma main sur sa poitrine et je l'ai repoussé.

– Tu te prends pour un mâle dominant qui a l'exclusivité des femelles. Parlant de ça, si mon *chum* apprenait que tu as tenté de m'embrasser, je pense qu'il serait un peu fâché.

– Il est plus grand que moi?

– Au moins d'une tête. Et il fait de la musculation.

– OK, c'est un *douchebag*?

– Non, non. Pas du tout. Il s'entraîne, c'est tout. C'est juste qu'il est musclé. Il fait de la boxe. Et, euh, aussi, il est intelligent. C'est le plus important.

Vas-y, Nam, continue à t'enfoncer dans les sables mouvants de tes mensonges.

– Parce que tsé, il étudie, donc, euh, dans sa tête, c'est plein de cellules grises. C'est vraiment l'homme parfait.

– Il étudie quoi?

– Ben, à l'école. Comme nous. Et les plantes.

– Les plantes?

– Ouais, il veut devenir botaniste.

– Genre pour tondre la pelouse?

– Non, ça, c'est un paysagiste. Un botaniste. Il veut faire, euh, du botanique.

– On dit de la botanique.

– Ouais, c'est ça. Il veut faire de la botanique. Et il a une moustache. Pas un duvet. Une grosse moustache. Tellement qu'elle a son propre code postal.

Je me suis esclaffée comme la détraquée que je suis.

Avant de remplir mes poumons de sable, j'ai mis fin à la conversation :

– Bon, eh bien je te laisse, je vais souper avec lui et sa moustache. Je la saluerai pour toi.

J'ai déguerpi au lieu de dire d'autres niaiseries.

Avant d'être avalée par l'horizon, je me suis retournée et je lui ai crié :

– Tu devrais lui voir les fesses ! Hum grrr arf-arf eurf ding-dong pif paf pouf pan pang !

C'est super, je dois maintenant me trouver un moustachu grand et musclé, boxeur à ses heures, et dont l'ultime passion est un intérêt immodéré pour les plantes.

Avec la chance que j'ai, la seule personne au monde qui correspond à ces caractéristiques est Indien, il a 39 ans et il est gai.

Et il est mort étouffé la nuit dernière par sa moustache.

Bravo, Nam. Bravo.

(...)

Je termine ma liste d'irritants fesse-de-bouquiens :

❀ Les gars

C'est juste moi ou les gars publient rarement des statuts ou des commentaires pertinents ? Ceux que je lis sont soit des insultes, soit des «LOL» ou alors ils sont absolument incompréhensibles.

Je n'ai pas peur de mes opinions : les gars devraient suivre un cours de «pertinence 101» et passer un examen avant d'avoir le droit d'utiliser les réseaux sociaux.

(Je sais, je généralise, les gars ne sont pas tous comme ça, disons 78,3 %. Vive les filles ! Je sais, je généralise, les filles ne sont pas toutes comme ça. Disons 99,9 %.)

❀ Écrire des messages privés à la vue de tous et lancer des attaques personnelles

Il faut laver son linge sale en famille. Parce que lorsqu'on vise quelqu'un publiquement, ça tourne toujours à la bataille et les insultes suivent tout de suite après.

Si tu détestes Gertrude Laframboise, ne le dis pas publiquement. Parle dans son dos, fais l'hypocrite, raconte des faussetés à son sujet, mais subtilement, à une personne après l'autre.

Gnac, gnac, gnac.

❀ Changer tous les jours de statut marital

Paraît que la moyenne des relations amoureuses entre ados dure un mois. Le temps de s'acheter une maison avec piscine, une auto et un chien, et ça se termine.

C'est déprimant, non?

Il y a de l'espoir : Mom me disait qu'une fille avec qui elle travaille est avec son mari depuis qu'ils ont l'âge de 14 ans.

Cependant, mes congénères devraient comprendre certaines affaires :

❋ *Primo*, on ne peut pas être «marié» à 14 ans, à moins de vivre en 1890.

❋ *Secundo*, on ne peut donc pas être «divorcé».

❋ *Tertio*, tous les ados devraient indiquer que leurs amours sont «compliquées».

❋ Et *finalo* (est-ce que ça se dit?), quelqu'un qui change de «statut marital» tous les deux jours, ça donne l'impression qu'il est instable et/ou cruellement en manque d'amour et/ou une fille/un gars facile, prêt à sortir avec tout ce qui bouge, y compris un cerf-volant.

❀ Les scores des jeux auxquels jouent nos contacts

Aujourd'hui, Gertrude Laframboise a tué 18 morts vivants à Zombieville, planté 34 carottes à Carotteville et rempli 4 devoirs à Devoirville en écrivant n'importe quelle réponse; de toute façon, l'important est de donner l'impression de les avoir faits, non?

Cou'donc, elle n'a pas honte de participer à des jeux aussi insignifiants? Notre temps sur cette Terre est si précieux, il faut l'utiliser à bon escient!

(Je vous laisse, je dois aller passer une heure et demie devant le miroir à me maquiller et à me faire des coiffures complexes pour finalement garder mes cheveux détachés, sans compter que j'ai changé de vêtements trois fois pour finir avec la même vieille paire de jeans et le même vieux chandail pourri.)

❀ Les photos ratées et/ou de pieds et/ou de trucs qu'on a mangés

Il faut faire le tri! Habituellement, les photos prises avec un téléphone cellulaire sont laides, floues et on n'arrive pas à déterminer ce que c'est: le cliché d'un ami ou un sanglant accident de la route?

Et pourquoi faire un album avec 128 photos du même coucher de soleil (pas si mémorable, par ailleurs)? Ou publier des photos de la poutine qu'on a bouffée au resto? Ou d'une rencontre amicale de pieds?

Inintéressant.

«Mais Nam, tu n'as qu'à ne pas les regarder, ces photos!»

Je sais, mais je ne peux pas m'en empêcher!

❀ Le *duck face* ou le-jour-où-j'ai-bouffé-un-citron

Qui est l'inventeur de cette mode d'imiter le bec de ces oiseaux aquatiques aux pattes palmées? Donald le canard? Qu'on me l'amène, je vais faire un magret avec.

De toute manière, je n'ai jamais rien compris de ce qu'il disait.

❀ Les «poke»

Quand j'en reçois un, je me sens mal de ne pas en faire un à cette personne. Comme si elle m'avait interpellée et que je l'avais ignorée. Et la personne en question, lorsqu'elle voit que je l'ai «pokée», un piano à queue de pression invisible se pose sur ses épaules et, par politesse, elle me «poke».

Et ça ne finit jamais! Jusqu'à ce qu'en imagination, j'assassine la personne parce que je n'en peux plus de toute cette tension.

Ou je peux simplement ne pas cliquer sur «poke».

Le choix est déchirant!

❀ Les LOL à toutes les sauces

«Les vacances dans dix jours!»

Seul commentaire reçu: «LOL».

«Mon chien a des vers dans l'intestin!»

Seul commentaire reçu: «LOL».

«Je fais partie des 30 % des femmes qui portent la bonne taille de soutien-gorge!»

Seul commentaire reçu: «LOL».

TOUT n'est pas drôle, compris? LOL veut dire «*lot of laughs*» et MDR «mort de rire». Faut respecter la signification des abréviations, elles ont travaillé assez fort pour entrer dans la culture populaire.

❀ Les parents, tantes, oncles ou grands-parents

Qu'est-ce qu'ils font là?

Sans blague, c'est gênant.

Ma mère (qui a neuf amis) a déjà écrit dans un statut Fesse-de-bouc avec les mots «salade méditerranéenne». Il a fallu que je lui explique que Fesse-de-bouc, c'est pas un engin de recherche comme *Gougueule*. ☺

Elle ne comprend toujours pas.

(...)

Dans le fond, je me demande pourquoi j'utilise encore ce réseau social.

Me semble que 88 % de ce qu'on y trouve m'exaspère (ça grimpe à 98 % quand je suis en SPM).

Pourquoi diable je continue à le fréquenter?

Parce que je fais comme les autres. Je ne suis qu'une moutonne parmi tant d'autres. En me rasant, on pourrait peut-être confectionner un chandail.

(...)

Allez, c'est l'heure de partir pour l'école.

Il ressemble à ça (genre)

Namxox

> Bien fait pour elle

Wow ! Lara est devenue une véritable vedette !

Dans tous les journaux ce matin, on parle d'elle et de son roman. Avec des photos d'hier soir. J'apparais même sur l'une d'elles. Je ne sais pas ce que je faisais, mais j'ai une *duck face* et je suis comme sur le point de me mettre un morceau de lait coagulé dans le nez.

Qui est la fille la plus photogénique des environs ? Un indice : ce n'est pas moi !

Elle a même eu droit à des topos à la télévision et sur le Net.

Je suis allée la retrouver ce matin à son casier pour la féliciter. Elle était radieuse.

Sincèrement, je suis heureuse pour elle.

Quand ce sera mon tour, pas grave si je n'aurai qu'à ramasser les miettes, je suppose que le lancement sera organisé dans la benne à recyclage derrière l'école avec ce qu'il restait des craquelins aux grumeaux et de l'eau en fontaine qui goûte la rouille.

Ça, c'est si mon manuscrit est publié. Parce que je n'ai toujours pas reçu de nouvelles de Madame Annie.

Alors bravo à toi, Lara. Je te souhaite tout le succès que tu mérites.

Elle m'a dit qu'elle allait commencer à faire la tournée des salons du livre dans un mois. Chanceuse !

(...)

Mon frère a perdu la tête (quelle tête ?) avec son truc de lancers de cartes.

Parce qu'il n'est encore parvenu à rien avec ses attaques, il est sûr qu'il y a quelque chose qu'il ne fait pas correctement.

– Je le sais parce que ma technique est parfaite, il m'a dit au petit-déjeuner.

Il y a des cartes à jouer partout dans la maison. Il refuse de les ramasser. Selon ses dires, ça porterait malheur.

– Chaque carte possède sa personnalité. Et elle a sa vie à vivre, son chemin à suivre.

– Sur le plancher ?

– Qui es-tu pour juger du destin d'une carte à jouer ?

– Je suis la fille qui a failli se casser une cheville en glissant dessus.

– C'est laquelle ?

– La reine de cœur, je l'ai entendue ensuite me menacer de me couper la tête.

– Hein ?

– C'est une référence à *Alice au pays des merveilles*. Tu sais, le livre. Ou le film. Ou le dessin animé.

– C'est peut-être elle, ma carte chanceuse. C'est peut-être elle qui va me permettre d'accéder à l'étape suprême.

Avant de partir, je l'ai surpris à lancer des cartes en direction de Youki, mon pauvre petit chien d'amouuur.

- Mais qu'est-ce que tu fais là, misérable?

- Je pratique mon art.

- Sur mon chien!

Youki n'avait aucune idée de ce qui se passait. Ses yeux exprimaient l'ennui, l'apathie et l'*ouatedephoque*.

- Bah ouais.

Je l'ai pris dans mes bras.

- Bah non. Exerce-toi sur Tintin.

- Je peux pas. Si je tue accidentellement Youki, c'est plus facile de cacher le meurtre que si c'était Tintin.

- Si je te revois toucher un poil de mon chien...

C'est à ce moment que Pop a, tout comme moi, glissé sur une carte. Après quelques jurons bien sentis («Krimpof de saperlipopette!»), il a gentiment (!) demandé à Fred de ramasser les cartes, ce que Fred s'est dépêché de faire, superstition ou non.

(...)

Assez pour ce midi, je dois me rendre au local des Réglisses rouges pour sauver le monde.

Si agressive...

Nomxox

Publié le 23 janvier à 17 h 25
Humeur : Figée

> **Lara?**

OMG.

Je suis devant mon ordi depuis dix minutes et je n'arrive plus à bouger.

Mes mains tremblent et je n'ai plus de salive dans la bouche.

J'ai lu et relu ce que j'ai découvert sur le Net et chaque fois, j'en ai le souffle coupé.

Qu'est-ce que je dois faire !?

Ne manque pas la suite des aventures
de Namasté dans le tome 14,

Dire ou ne pas dire,

en librairie à l'automne 2012.

Dans la même série

Le blogue de Namasté – tome 12
Le cœur en miettes
Éditions La Semaine, 2012

Le blogue de Namasté – tome 11
La vérité, toute la vérité !
Éditions La Semaine, 2012

Le blogue de Namasté – tome 10
Le secret de Mathieu
Éditions La Semaine, 2011

Le blogue de Namasté – tome 9
Vivre et laisser vivre
Éditions La Semaine, 2011

Le blogue de Namasté – tome 8
Pour toujours
Éditions La Semaine, 2011

Le blogue de Namasté – tome 7
Amoureuse !
Éditions La Semaine, 2010

Le blogue de Namasté – tome 6
Que le grand cric me croque !
Éditions La Semaine, 2010

Le blogue de Namasté – tome 5
La décision
Éditions La Semaine, 2010

Le blogue de Namasté – tome 4
Le secret de Kim
Éditions La Semaine, 2009

Le blogue de Namasté – tome 3
Le mystère du t-shirt
Réédition La Semaine, 2010

Le blogue de Namasté – tome 2
Comme deux poissons dans l'eau
Réédition La Semaine, 2010

Le blogue de Namasté – tome 1
La naissance de la Réglisse rouge
Réédition La Semaine, 2010

Autres titres du même auteur

Pakkal XII – *Le fils de Bouclier*
Éditions La Semaine, 2010

Pakkal XI – *La colère de Boox*
Éditions La Semaine, 2009

Pakkal X – *Le mariage de la princesse Laya*
Éditions Marée Haute, 2008

Pakkal IX – *Il faut sauver l'Arbre cosmique*
Éditions Marée Haute, 2008

Le deuxième codex de Pakkal, hors série
Éditions Marée Haute, 2008

Pakkal VIII – *Le soleil bleu*
Les Éditions des Intouchables, 2007

Circus Galacticus – *Al3xi4 et la planète
de cuivre*
Éditions Marée Haute, 2007

Pakkal VII – *Le secret de Tuzumab*
Les Éditions des Intouchables, 2007

Pakkal VI – *Les guerriers célestes*
Les Éditions des Intouchables, 2006

Pakkal V – *La revanche de Xibalbà*
Les Éditions des Intouchables, 2006

Pakkal IV – *Le village des ombres*
Les Éditions des Intouchables, 2006

Le codex de Pakkal, hors série
Les Éditions des Intouchables, 2006

Pakkal III – *La cité assiégée*
Les Éditions des Intouchables, 2005

Pakkal II – *À la recherche de
l'Arbre cosmique*
Les Éditions des Intouchables, 2005

Pakkal I – *Les larmes de Zipacnà*
Les Éditions des Intouchables, 2005

DISPONIBLES EN LIBRAIRIE
Collection Grand-Peur tome 1

Les têtes réduites, premier roman d'horreur de la collection Grand-peur, raconte l'histoire d'une adolescente de 16 ans, Nadia Walker, aux prises avec un problème de timidité maladive. Contre toute attente, elle devient amie avec la fille la plus populaire de l'école, Mélina Bérubé, après avoir assisté à un horrible accident impliquant le copain de cette dernière. Au grand dam de sa meilleure amie qui la met en garde, elle se laissera hypnotiser par son charisme mortel.

Mélina Bérubé est belle, intelligente et cache un secret maléfique qui changera à jamais la vie de Nadia Walker. S'ensuit un suspense à couper le souffle dont les nombreux rebondissements tiendront le lecteur en haleine jusqu'à la dernière page.

Collection Grand-Peur tome 2

Après le succès retentissant des *Têtes réduites*, Namasté nous offre son deuxième roman d'horreur, *Harcelée*.

Sabrina Lavoie est nouvelle à son école secondaire. Dès le premier jour, sa marraine, Mégane Ladouceur, la met en garde contre une certaine Cindy, qui la harcèle depuis des années et que Sabrina doit à tout prix éviter. Mégane compare Cindy à une araignée qui tisse sa toile autour de sa proie pour prendre le temps de la dévorer par la suite.

Alors que Sabrina, qui a déjà été victime d'intimidation, se met dans la tête de changer Cindy, elle est pourchassée par une mystérieuse inconnue qui lui apparaît un jour dans son miroir.

Cette fille décédée depuis plusieurs mois serait une victime de Cindy.

BIENTÔT DISPONIBLE

Collection Grand-Peur tome 3
Croque-mitaine

Quand une image vaut mille morts

Alice, une adolescente de quinze ans qui a le coeur sur la main, est amateur de photographie à l'ancienne avec pellicule et développement à l'aide de produits chimiques. Après que l'objectif de son vieil appareil se soit brisé en heurtant le sol, elle en trouve un usagé chez un mystérieux antiquaire.

Alice réalise rapidement que ce nouvel objectif a la particularité de prendre des clichés dérangeants. Au même instant, on souligne le dixième anniversaire d'un évènement tragique qui a eu lieu a son école secondaire. Des questions ont été laissées sans réponse et Alice croit qu'avec son objectif, elle peut y répondre. Elle met alors la main dans un engrenage qui l'entraînera dans un voyage infernal au bout d'elle-même.

Thriller fantastique, *Croque-mitaine* continue dans la même veine que ces deux prédécesseurs de la série Grand-peur, devenus *best-sellers* dès leur arrivée en librairie: personnages attachants, intrigue haletante et frissons garantis. Nul doute que Namasté parviendra, encore une fois, à faire passer des nuits blanches à ses lectrices.

DISPONIBLES EN LIBRAIRIE
Les aventures du fabuleux Neoman

Le fabuleux Neoman – Tome 1.1
Le projet N

Le fabuleux Neoman – Tome 1.2
L'effet domino

Le fabuleux Neoman – Tome 1.3
La méthode Inferno

Le fabuleux Neoman – Tome 2.1
La théorie du chaos

Achevé d'imprimer au Canada par
Marquis Imprimeur Inc.